Deseo

PASIÓN DE GUANTE BLANCO

MAUREEN CHILD

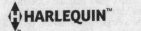

Editado por Harlequin Ibérica.
Una división de HarperCollins Ibérica, S.A.
Núñez de Balboa, 56
28001 Madrid

© 2014 Maureen Child
© 2015 Harlequin Ibérica, una división de HarperCollins Ibérica, S.A.
Pasión de guante blanco, n.º 2051 - 8.7.15
Título original: The Fiancée Caper
Publicada originalmente por Harlequin Enterprises, Ltd.

I.S.B.N.: 978-84-687-6618-8
Depósito legal: M-13341-2015
Impresión en CPI (Barcelona)
Fecha impresion para Argentina: 4.1.16
Distribuidor exclusivo para España: LOGISTA
Distribuidor para México: CODIPLYRSA
Distribuidores para Argentina: Interior, DGP, S.A. Alvarado 2118.
Cap. Fed./Buenos Aires y Gran Buenos Aires, VACCARO HNOS.

Capítulo Uno

–Papá estuvo detrás del robo de la esmeralda Van Court la semana pasada, ¿verdad? –preguntó Gianni Coretti en voz baja mirando a su hermano a través de la mesa.

Paulo se encogió de hombros, tomó un sorbo de whisky y sonrió.

–Ya conoces a papá.

Gianni hizo una mueca y se pasó una mano por el pelo. Sabía que la respuesta era deliberadamente vaga, pero no esperaba otra cosa. Por supuesto, Paulo se pondría del lado de su padre.

Apartó la vista de su hermano y miró el césped exquisitamente cuidado de Vinley Hall. El lujoso hotel estaba situado en el corazón de Hampshire, en la costa sur de Inglaterra, y era un lugar muy visitado por la familia Coretti, no solo por su elegancia natural sino también por su fácil acceso al aeropuerto privado de Blackthorn.

Ese día Gianni llevaba a su hermano a Blackthorn para que volara hasta su casa de París. Por el camino habían parado a tomar algo. Paulo había estado tres días de visita en Londres y a Gianni le habían parecido tres años. No le gustaban las visitas, ni siquiera de la familia. Y Paulo en especial lograba hacerle perder la paciencia más deprisa que ninguna otra persona en el mundo.

Una camarera ataviada con una falda negra y una camisa blanca cruzaba lo que en otro tiempo había sido la biblioteca de Vinley Hall y ahora servía de bar elegante. Gianni cambió del inglés al italiano.

–¿Papá y tú recordáis que el año pasado negocié con la Interpol para conseguir inmunidad para todos por los robos pasados?

Paulo se estremeció visiblemente y tomó otro sorbo de whisky.

–¿Cómo pudiste estar tan cerca de tantos policías? No sé cómo lo conseguiste ni por qué te molestaste –dejó el pesado vaso de cristal en la mesa de roble y pasó los dedos por el borde. Miró a su hermano–. Nosotros no pedimos inmunidad.

Cierto. No la habían pedido. Pero Gianni se la había conseguido de todos modos. Desgraciadamente, su familia no solo no lo apreciaba, sino que además se mostraba horrorizada ante la idea de renunciar al «negocio familiar».

Los Coretti habían sido ladrones de joyas durante siglos. Era una habilidad que se transmitía de generación en generación. Los niños aprendían los secretos y trucos del oficio y, al crecer, se convertían en adultos de manos rápidas, mente más rápida todavía y con la capacidad de entrar y salir por puertas cerradas sin dejar ni el menor rastro de su presencia.

Había policías en todos los continentes que habrían dado lo que fuera por tener alguna prueba contra los Coretti. Pero hasta el momento, la familia no solo había sido muy profesional, también había tenido suerte. Y Gianni estaba convencido de que esa suerte se acabaría antes o después.

Pero no era fácil decirle eso a un Coretti.

–Tú vas en serio con esto, ¿verdad? –preguntó Paulo.

–¿Con qué? –preguntó Gianni irritado.

Paulo resopló.

–Con esta nueva vida de ser bueno y honrado, por supuesto.

Gianni se irritó aún más.

–Hablas como si me estuviera convirtiendo en un boy scout.

Paulo se echó a reír.

–¿Y no es así?

Llevaban un año hablando de aquello y el padre y el hermano de Gianni seguían sin comprender su decisión. Pero Gianni tenía que reconocer que eso no tenía mucho de sorprendente. Una vida de robos no solía llevar a que alguien se convirtiera de pronto en un ciudadano respetuoso de la ley. Gianni, sin embargo, había vivido una especie de verdad revelada más de un año atrás.

Gracias a Dios, su hermana Teresa lo comprendía porque hacía años que había elegido dejar atrás la tradición familiar. Los cambios que había hecho Gianni en su vida no solo habían dejado perpleja a casi toda su familia, sino, en ocasiones, a él mismo.

–Ahora tienes un empleo, Gianni –Paulo volvió a estremecerse, como si la mera idea de trabajar le llegara al alma–. Los Coretti no tienen trabajos. Nosotros hacemos trabajos. Hay una diferencia.

En la chimenea de piedra de la estancia ardía un fuego que lanzaba sombras temblorosas en las paredes. Fuera de las ventanas batientes, árboles altos y elegantes se agitaban.

–Y esa diferencia podría enviar a mi familia a la cárcel.

–Todavía no ha ocurrido –le recordó Paulo con una sonrisa de chulería.

Aquello era cierto. Pero Dominick Coretti, el padre de ambos, se hacía mayor. Y hasta los hombres más inteligentes perdían parte de su destreza con la edad. Aunque Nick jamás admitiría algo así. Y Gianni había luchado por conseguirle seguridad porque sabía que su padre jamás sobreviviría a una condena de cárcel.

Claro que esa no había sido la única razón por la que Gianni había, como decía su padre, «traicionado su herencia». Aunque ser un ladrón mundialmente famoso tenía sus ventajas, también conllevaba una serie de desventajas. Por ejemplo, tener que pasarse la vida mirando por encima del hombro.

Gianni quería otra cosa.

Y si su padre y hermano seguían metiendo la pata, su futuro también estaría en peligro. A pesar del trato que había hecho con algunos agentes de la Interpol, si se demostraba que la familia Coretti seguía robando las joyas de Europa, no tenía dudas de que sus nuevos «amigos» romperían el trato y encontrarían el modo de colocarlo al nivel de su familia.

–Te preocupas demasiado, Gianni –comentó Paulo–. Somos Coretti. Creo que lo has olvidado. Y cuando lo recuerdes por fin, dejarás encantado esta nueva vida tuya.

Gianni terminó su bebida y miró a Paulo.

–Sé perfectamente quién soy. Quiénes somos todos. Di mi palabra a cambio de la inmunidad.

Paulo puso una mueca de desprecio.

–A la policía.

–Es mi palabra –gruñó Gianni–. Y el trato que hice con la Interpol solo incluye delitos pasados. Si a papá o a ti os pillan ahora…

–Siempre preocupado –Paulo movió la cabeza–. No nos pillarán. Además, ya conoces a papá. No podría dejar de robar como no podría dejar de respirar.

–Lo sé –a Gianni le habría gustado pedir otro whisky, pero después de dejar a Paulo en el avión, tendría que volver conduciendo a su casa en Mayfair y no le apetecía que lo parara la policía por ir haciendo eses por la carretera.

Paulo debió leerle el pensamiento porque volvió a reír.

–Papá es quien es, Gianni. Y lady Van Court estaba pidiendo a gritos que le robaran esas piedras.

Gianni suspiró.

–Cuando veas a papá, dile que se esté quieto

una temporada hasta que los periódicos dejen de hablar del robo. Mejor todavía, enciérralo en la alacena de tu casa si es preciso.

Paulo volvió a reír, terminó el whisky, dejó el vaso en la mesa y se puso en pie.

–Los dos sabemos que se necesita algo más que una cerradura para retener a nuestro padre en contra de su voluntad.

–Cierto –murmuró Gianni.

Se levantó y siguió a su hermano hasta el coche. El aeropuerto estaba cerca del hotel y poco después se encontraban en la pista de despegue golpeados por el viento británico.

–Cuídate mucho en el mundo de la respetabilidad, hermano –dijo Paulo.

–Lo mismo digo –Gianni abrazó a su hermano–. Y cuida también de papá.

–Siempre –le aseguró Paulo. Tomó su bolsa y se dirigió al avión privado que lo esperaba.

Gianni no se quedó a ver despegar el avión. Volvió a su coche y condujo a casa y a su nueva vida.

–Parece que el crimen paga bien –susurró Marie O´Hara para sí.

Estaba en posición de saberlo, puesto que se hallaba en aquel momento registrando la guarida privada de uno de los ladrones de joyas más famosos. Sentía los nervios agarrados al estómago y no le resultaba fácil respirar. Toda su vida había cumplido las reglas, obedecido las leyes, y esa noche había tirado todo eso por la borda por la posibilidad de hacer justicia. Desgraciadamente, esa idea no le aplacaba los nervios. Pero estaba allí y estaba decidida a registrar concienzudamente la casa.

Después de semanas siguiendo a Gianni Coretti y estudiando sus costumbres, estaba casi segura de que permanecería horas fuera, pero no tenía sentido correr riesgos.

No encendió ninguna luz. No quería arriesgarse. Aunque las probabilidades de que la vieran los vecinos merodear por el apartamento eran casi nulas. El piso de lujo de Gianni Coretti era un ático situado en la décima planta, con unas vistas espectaculares de Londres. Había una pared de ventanas de cristal que mostraba esas vistas y dejaba pasar suficiente luz de la luna como para que no hiciera falta encender las lámparas.

—Es bonito, pero parece más un museo contemporáneo que un hogar —murmuró Marie, cruzando el suelo brillante de mármol blanco.

El piso entero era blanco. Movió la cabeza, dejó atrás la esterilizada, aunque hermosa, sala de estar y continuó por un largo pasillo. El mármol estaba presente en todo el piso y sus tacones golpeaban levemente la superficie. Se encogía cada vez que oía un ruidito, como si fuera un claxon que anunciara su presencia.

La minifalda negra, tacones de aguja y camisa de seda roja que llevaba no estaban diseñados para el sigilo. Pero había tenido que pasar la barrera del portero y por eso se había vestido como una de las visitas de Coretti. Y así había conseguido atravesar la primera línea de defensa de este.

La cocina era tan austera y desalentadora como el resto del lugar. Daba la impresión de que no se hubiera usado nunca, a pesar de los fogones propios de un restaurante y del enorme frigorífico. Al lado de esa cocina había un comedor con una mesa de cristal rodeada por seis sillas fantasma, de modo que parecía que allí no había nada, a pesar de que ocupaban un buen trozo de la estancia.

Siguió adelante.

Pasó dos cuartos de invitados y se dirigió al dormitorio principal. Cuanto más se acercaba, más sentía los nervios en el estómago. Marie no estaba hecha para aquello. A diferencia del dueño de aquel palacio de color blanco, cromo y cristal.

–Sinceramente, ¿tan mal le sentaría darle un poco de calidez a esto? –su voz hizo eco en el ático vacío.

Marie se dijo que debía concentrarse en la razón de su visita. Había ido allí a buscar algo que pudiera usar contra Gianni Coretti. Sabía que la policía de todo el mundo llevaba años intentando, sin éxito, conseguir pruebas contra la familia Coretti. Pero ella tenía ya algo interesante que sabía que llamaría la atención de Gianni. Había sido pura suerte, pero a veces la suerte era suficiente.

Solo quería un poco más. Necesitaba más, teniendo en cuenta que estaba planeando algo que la mayoría de la gente consideraría una locura.

–Pero no es una locura –dijo en voz alta.

El dormitorio principal también tenía una pared de cristal con vistas a una terraza de la planta décima y al Londres nocturno. Por supuesto, allí también era todo blanco.

La enorme cama estaba contra una pared, mirando una gigantesca pantalla de televisión que colgaba encima de una chimenea ancha. Había armarios empotrados y un vestidor y también un cuarto de baño con kilómetros de azulejos blancos, una bañera que parecía una canoa blanca gigante y una especie de catarata en lugar de ducha.

Aunque no le gustara ver tanto blanco, Marie podía apreciar el lujo del lugar.

Abrió un armario y lo registró rápidamente y sin alterar nada. No quería que Coretti supiera que había habido alguien allí. Miró los bolsillos de los abrigos, las chaquetas y los pantalones. Al menos aquel hombre tenía buen gusto para la ropa. Revisó cajones e intentó no darse cuenta de que el hombre en cuestión usaba boxers negros de seda. No era asunto suyo.

Como no encontró nada, se arrodilló para mirar debajo de la cama. Todo el mundo escondía cosas debajo de la cama, ¿no? Vio una caja larga plana y sonrió.

–¿Secretos, Coretti? –susurró.

Se tumbó en el suelo y estiró el brazo. Sus uñas rascaron el lateral de la caja de madera y frunció el ceño. Se metió más abajo de la cama.

De pronto se quedó inmóvil. ¿Había oído un

11

ruido? Contuvo el aliento y esperó un segundo. Dos. Todo iba bien. Estaba sola en aquel palacio frío. Y le faltaba muy poco tiempo para descubrir qué era aquello que escondía Gianni Coretti. Un poco más y... Tiró de la caja y susurró:

—¿Qué voy a encontrar aquí?

—La pregunta es —dijo una voz profunda detrás de ella—, ¿qué es lo que he encontrado yo?

Marie soltó un grito y, un segundo después, dos manos fuertes la agarraran por los tobillos y la sacaron de debajo de la cama.

Gianni supo que no estaba solo en cuanto entró en el piso. Quizá por un sexto sentido o por un arraigado instinto de supervivencia. Fuera lo que fuera, sintió algo diferente en la casa y recuperó sin ningún esfuerzo el tipo de movimientos que había dejado de practicar más de un año atrás. Se desplazó por el ático sin hacer ruido y fundiéndose con las sombras. La luz de la luna entraba en las habitaciones y pintaba las paredes y suelos de crema y marfil. Gianni escuchaba atentamente el menor sonido. Un susurro de ropa, un suspiro, roce de zapatos en el suelo...

El pasillo le pareció más largo que de costumbre, puesto que se vio obligado a pararse a revisar los cuartos de invitados y los baños. Pero, mientras llevaba a cabo esa inspección, sabía que el intruso no estaba allí. Lo sentía en los huesos. Su instinto, su intuición, tiraban de él hacia su dormitorio.

La oyó antes de verla. Hablaba sola en susurros. Su voz sonaba baja, gutural y le despertó la curiosidad incluso antes de verla. Se detuvo en el umbral y miró a la mujer tumbada en el suelo con medio cuerpo metido debajo de la cama.

No era policía.

Nunca había conocido a un policía con ese cuerpo.

La miró. Blusa roja de seda metida dentro de una falda negra ceñida, piernas largas y bien formadas y zapatos negros de tacón altísimo en unos pies pequeños.

Definitivamente, no era policía.

Él se excitó. Gianni quería mirarla. No solo descubrir quién era, sino ver si tenía una cara tan fantástica como todo lo demás.

Se inclinó, la agarró por los tobillos y tiró. El grito de sorpresa de ella le sonó a música. No solo había capturado a la intrusa sino que además estaba el beneficio añadido de ver deslizarse su falda más arriba de los muslos.

Ella se retorció en sus manos, se soltó, se bajó la falda con una mano y le lanzó una patada con uno de los tacones.

–¡Eh! –Gianni saltó hacia atrás a tiempo de evitar ser empalado.

Ella se arrastró apartándose de él, con unos ojos verdes muy abiertos y una masa de rizos cortos rojizos cayéndole por la frente. Se levantó de un salto y se colocó como preparándose para luchar. Gianni casi soltó una carcajada.

–No voy a pelear contigo –dijo con voz tensa.

La mujer rio y movió la cabeza.

–Un error.

Hizo un movimiento rápido, se deslizó hacia él y golpeó con una mano. Si Gianni hubiera estado menos preparado, quizá lo habría pillado desprevenido. Pero él le agarró la mano, la hizo girarse y le dio un empujón que la lanzó sobre la cama.

Antes de que ella pudiera pensar en moverse, Gianni se sentó a horcajadas en sus caderas y la clavó contra el colchón.

–¡Suéltame! –dijo ella con voz alta y autoritaria. Y acento norteamericano.

Lo miró con fiereza, pero Gianni no pensaba ceder ni una pulgada hasta que tuviera algunas respuestas.

–No irás a ninguna parte, al menos de momento –dijo.

Ella empezó a retorcerse y él le colocó las manos en los hombros. La mujer alzó una rodilla y le dio en la espalda.

–¡Ya basta! –ordenó él.

–Párame tú –lo retó ella, y siguió retorciéndose e intentando escapar.

–Me parece que no –respondió él–. De hecho, estoy disfrutando bastante con tus movimientos.

Aquello logró el milagro. Ella se quedó inmóvil. Gianni se lo agradeció, pues se había excitado bastante. No todos los días tenía a una desconocida guapa debajo de él.

Los ojos de ella seguían llameantes de furia. Su

respiración era rápida y sus pechos, altos y grandes, subían y bajaban de un modo que atrapaba la atención de él. «Tentador», pensó Gianni. Pero obligó a su mente a concentrarse en la mujer, la intrusa, y no en su exquisito cuerpo.

–Bien –dijo–. Ahora que te has tranquilizado, ¿puedes decirme qué haces en mi casa?

–Suéltame y hablaremos –dijo ella entre dientes.

Gianni se echó a reír.

–¿De verdad crees que soy tan estúpido? –movió la cabeza–. ¿Qué haces aquí?

Ella respiró hondo y pensó un momento.

–Te estaba esperando. He pensado que podíamos… pasarlo bien.

Gianni la miró divertido.

–¿De verdad?

Hubo una pausa.

–No –admitió ella.

–Si no estás aquí para disfrutar de mi compañía, ¿qué haces aquí? ¿Qué es lo que buscas? –preguntó él.

Ella no contestó. Lo miró de hito en hito. La pasión de sus ojos producía un gran efecto en Gianni. Hacía mucho tiempo que no se excitaba tanto solo con mirar a una mujer. Pero aquella tenía algo especial. Quizá era el contraste entre la fiereza de su expresión y su cuerpo pequeño y exuberante. O quizá era que llevaba demasiado tiempo sin estar con una mujer.

–¿No tienes nada que decir? –preguntó–. Pues

hablaré yo. La única explicación posible de tu presencia aquí es que eres una ladrona. Una ladrona encantadora, desde luego –añadió–. Pero ladrona al fin y al cabo. Si crees que voy a ser más blando contigo…

–Esto no es un allanamiento.

–Siento curiosidad por saber cómo has entrado en mi casa y qué creías que ibas a encontrar. Y créeme cuando digo que lo descubriré antes de que salgas de aquí, ladronzuela.

Ella movió la cabeza, soltó una risita y lo miró asombrada.

–El único ladrón que hay aquí eres tú, Coretti.

–Ah –dijo él, más interesado todavía–. Me conoces. O sea que no es un robo al azar.

–No es un…

–Desde luego, eres la ladrona mejor vestida que he visto en mi vida –admitió él, mirando lentamente su cuerpo.

Ella apretó los dientes.

–No soy una ladrona.

–¿Entonces eres una aprendiza y vienes a que te dé clases? Si nos conoces a mi familia y a mí, sabrás que no aceptamos aprendices y, aunque lo hiciéramos, te aseguro que este no es modo de ganarte mi admiración –se puso serio–. ¿Quién eres y qué es lo que haces aquí?

–Soy la mujer que tiene pruebas suficientes para enviar a tu padre a la cárcel.

Capítulo Dos

El brillo de regocijo que mostraban los ojos marrones de Gianni desapareció al instante. Marie respiró hondo e intentó que su corazón latiera más despacio. Cosa nada fácil ahora que su plan había fracasado. No había contado con que él volviera pronto y la sorprendiera allí. Ni tampoco con que la echara sobre la cama y se sentara encima. Y tenía que admitir que tener su cuerpo duro y musculoso encima del de ella era una sensación mucho más agradable de lo que cabría esperar en esas circunstancias.

Era muy alto y olía muy bien, a una mezcla sutil de especias y hombre que le hacía querer inspirar hondo y retener el aire, solo para guardar aquel olor dentro de ella. Pero no estaba allí para ser seducida ni para permitir que sus hormonas controlaran la situación y alimentaran los fuegos que ardían en su interior.

No podía olvidar que ya había cometido ese error una vez. Había dejado que un ladrón la distrajera y no volvería a hacerlo.

¡Maldición! ¿Cómo le había salido tan mal aquello?

Su plan había sido hablar con él a su debido

tiempo y en un lugar elegido por ella, pero en aquel momento estaba a merced de él, así que hizo lo que hacía siempre que llevaba las de perder. Pasar a la ofensiva.

–Suéltame y hablaremos.

–Empieza a hablar y te soltaré –replicó él.

La luz de la luna entraba por el enorme ventanal e iluminaba los rasgos duros de él. Marie respiró todo lo profundamente que pudo y se preparó para la confrontación para la que llevaba meses trabajando.

Lo miró con rabia.

–No es fácil respirar contigo sentado encima.

Él no se movió.

–Pues entonces habla rápidamente. ¿Qué pruebas tienes contra mi padre?

Estaba claro que ella había perdido aquel asalto.

–Una foto.

Él resopló.

–¿Una foto? Por favor. Tendrás que tener algo mejor que eso. Todo el mundo sabe que hoy en día es tan fácil retocar una foto que ya no son prueba suficiente.

–Esta no ha sido retocada –le aseguró ella–. Está un poco oscura, pero se ve claramente a tu padre.

Los rasgos de él se volvieron todavía más fríos y remotos que antes.

–¿Y tengo que aceptar tu palabra? Ni siquiera sé tu nombre.

–Marie. Marie O´Hara.

Él la soltó el tiempo suficiente para permitirle respirar hondo y ella se lo agradeció.

–Es un comienzo –musitó él–. Sigue hablando. ¿De qué nos conoces a mi familia y a mí?

–No lo dices en serio, ¿verdad? –preguntó ella, sorprendida.

La familia Coretti había sido un foco de especulación durante décadas. Atrapar a uno de ellos en el acto de privar a alguien de sus joyas era un sueño recurrente de policías de todo el mundo.

–Sois los Coretti. La familia de ladrones de joyas más famosa del mundo.

Él apretó los dientes.

–Presuntos ladrones de joyas –corrigió, con los ojos fijos en los de ella–. Nunca hemos sido imputados.

–Porque nunca había pruebas –dijo ella–. Hasta ahora.

En la mandíbula de él se movió un músculo.

–Eso es un farol.

Ella lo miró a los ojos.

–Yo no me tiro faroles.

Él la observó un momento. Movió la cabeza.

–¿Cómo has entrado aquí?

Ella hizo una mueca.

–Solo he tenido que ponerme minifalda y tacón alto y tu portero me ha acompañado hasta el ascensor –Marie recordó la mirada lasciva del hombre y supo que no era la primera de las mujeres de Gianni Coretti a las que concedía ese tratamiento especial–. Ni siquiera me ha pedido un carné. Me ha asegurado que no necesitaba llave porque ese ascensor entraba directamente a tu casa. Ni le ha sorprendido que viniera cuando tú no estabas. Al parecer, hay un flujo constante de mujeres entrando y saliendo de este piso.

Él frunció el ceño y ella tuvo la satisfacción de saber que se había apuntado un tanto. Lo necesitaba. Tenía que poder contar con él. Odiaba pensar que buscaba la ayuda de un ladrón, pero sin él no podría hacer lo que había ido a hacer en Europa.

–Está claro que voy a tener que hablar con el portero –comentó él.

Ella sonrió.

–Oh, no sé. A mí me ha parecido que lo tienes bien entrenado… Acompaña a tus visitantes al ascensor y las deja entrar aquí aunque tú no estés.

Él movía la boca como si masticara palabras que sabían demasiado amargas para tragarlas.

–Muy bien. Ya me has dicho cómo has entrado. Ahora explica por qué. Yo no suelo encontrar invitadas en mi casa buscando debajo de mi cama. ¿Qué era lo que buscabas?

–Más pruebas.

Él soltó una risa breve.

–¿Más pruebas?

–Tengo una foto. Quería más.

Él frunció el ceño.

–¿Por qué?

–Necesito tu ayuda.

Gianni echó atrás la cabeza y soltó una carcajada. Marie se quedó tan sorprendida que solo pudo mirarlo de hito en hito y pensar que, por increíble que resultara, así estaba todavía más guapo.

Por fin él terminó de reír. Movió la cabeza y la miró.

–Tú necesitas mi ayuda. Eso tiene gracia. ¿Invades mi casa, amenazas a mi familia y esperas que te ayude?

–Si crees que a mí me gusta esto, estás muy equivocado –le aseguró ella. No le gustaba nada necesitarlo. Pero necesitaba a un ladrón para atrapar a otro.

–¿Y qué vas a hacer para asegurarte de que te concedo ese favor? –preguntó él–. ¿Chantajearme?

–Si hubiera venido simplemente a hablar contigo, no me habrías dejado entrar.

–No lo sé –murmuró él, mirando sus pechos–. Tal vez sí.

Ella se sonrojó.

–A pesar del modo en que voy vestida ahora, yo no soy una de tus tetas con patas.

Él enarcó las cejas.

–¿Tetas con patas?

–Imagino que conoces el concepto, puesto que las mujeres con las que sales caminan y a veces hablan, pero nunca las dos cosas a la vez.

Gianni sonrió y Marie tuvo ocasión de apreciar de nuevo cómo afectaba la sonrisa a su cara. Pero no importaba lo guapo que fuera ni que el calor de su cuerpo fuera más intenso que ningún otro que hubiera sentido ella. Tenía que ignorar todo eso porque él era un ladrón y ella no estaba allí para sentirse atraída por el hombre al que necesitaba para que la ayudar a limpiar su reputación.

Cuando él empezó a hablar de nuevo, ella, por suerte, dejó de pensar y se concentró en el presente.

—Muy bien, no eres tetas con patas y no eres una ladrona. ¿Se puede saber qué eres, entonces?

Ella volvió a empujarlo, pero él era inamovible y estaba claramente decidido a mantenerla clavada a su cama como a una mariposa en un tablón de corcho. Con su cuerpo duro encima y el edredón de seda debajo, Marie sentía calor y frío al mismo tiempo, aunque inclinándose más hacia el calor.

—Te propongo un trato —dijo después de un segundo—. Yo contesto a otra pregunta y tú te quitas de encima de mí.

—Tú no estás en posición de negociar —le recordó él.

Su acento italiano perfumaba todas sus palabras, y cuando su voz se volvía profunda y ronca, el acento parecía volverse más espeso. Lo cual no era nada justo. Con su acento y su cara, no necesitaba robar joyas, probablemente las mujeres se las daban.

—Tengo pruebas contra tu padre —le recordó ella. Y se arrepintió al instante.

Los rasgos de él se endurecieron y la luz que la risa había despertado en sus ojos murió y se disolvió en sombras que no parecían especialmente amigables.

–Eso dices tú –él pensó un momento–. De acuerdo. Dime quién eres y te dejo levantarte.

–Ya te lo he dicho. Me llamo Marie O´Hara.

–Eres norteamericana.

Ella frunció el ceño.

–Sí.

–¿Y? Tu nombre no me dice nada.

La luz de la luna entró por la ventana a la izquierda de ella y brilló en los ojos de él.

–Antes era policía.

–¡Maldición! –él resopló y entornó los ojos–. ¿Antes?

–Ya he contestado a una pregunta. Déjame levantarme y te contaré el resto.

–Muy bien –él se quitó de encima y Marie respiró hondo.

Se sentó en la cama, se ajustó la blusa y tiró del dobladillo de la falda todo lo que pudo hacia abajo. Se apartó el pelo de los ojos y lo miró con dureza.

–¿Qué hace una expolicía en mi casa? –él bajó de la cama y se metió las manos en los bolsillos–. ¿Por qué necesitas mi ayuda y cómo has conseguido pruebas contra mi padre?

Marie bajó también de la cama. De pie se sentía más en control de la situación. Claro que esa sensación solo duró hasta que lo miró a los ojos. Nadie podría quitarle el control a aquel hombre. Rezumaba autoridad.

–Explícame por qué no debo llamar a la policía para denunciar que tengo una intrusa en mi casa –dijo él.

–¿Un ladrón mundialmente famoso llamando a la policía? ¡Qué irónico!

Él se encogió de hombros.

–No sé de qué me hablas. Soy un ciudadano honrado. A decir verdad, trabajo para la Interpol.

Marie sabía aquello, pero no cambiaba nada. Un trabajo reciente con una fuerza policial internacional no mitigaba el modo en que Gianni Coretti había vivido su vida, el modo en que su familia seguía viviendo. Pero también sabía cómo funcionaban esas cosas. Sin duda Gianni habría hecho algún tipo de trato con las autoridades internacionales. Quizá inmunidad a cambio de su ayuda. No sería la primera vez que un ladrón cambiaba de bando para salvar el pellejo.

–Pues llama a la policía –dijo ella–. Estoy segura de que les interesará ver la foto que tengo de Dominick Coretti saliendo por la ventana de un palacio en Italia el día antes de que la familia Van Court denunciara un robo.

¡Maldición! Gianni tuvo que esforzarse mucho para no alterar su expresión y que aquella mujer no viera lo que pensaba. Las esmeraldas de los Van Court. Si aquello era un farol, era un farol muy bueno. Sabía que el robo de los Van Court había sido la semana anterior y sabía que había sido obra de su padre. Y si ella también lo sabía, sin duda tenía de verdad una foto de Nick Coretti, lo cual sería suficiente para enviar a su padre a la cárcel.

Miró los ojos verdes de la mujer y deseó que estuviera en cualquier parte menos allí. Había trabajado un año entero para hacerse una nueva vida y aquella mujer pequeña y exuberante podía tirarla por la borda.

–Vamos a verla –se acercó a la pared y giró el interruptor. La luz llenó la habitación, dispersando las sombras.

–¿Qué?

Si Marie O´Hara resultaba atractiva en la penumbra, con las luces encendidas era espectacular. Sus ojos eran más verdes y su pelo más rojo. Las curvas de su blusa y falda resultaban muy tentadoras. Una ola de calor le recorrió el cuerpo a Gianni y se instaló en su entrepierna.

–Quiero ver ahora mismo la foto que afirmas tener de mi padre –dijo–.

–Está en mi bolso. En el sofá de la sala de estar.

Gianni enarcó las cejas.

–Te sentías como en casa, ¿verdad?

–Pensaba recogerlo al salir –ella lo miró con dureza–. ¿Quieres ver la foto, sí o no?

Gianni no quería. Cuando viera la foto, tendría que lidiar con ella. Buscar el modo de silenciarla y proteger a su padre. Pero lo primero era comprobar si ella tenía de verdad pruebas que podía usar contra su familia.

–Vamos.

Se apartó para que echara a andar delante de él, donde podría tenerla vigilada. Y eso tenía también la ventaja de las vistas. Policía o no policía, tenía un gran trasero y él, ladrón o no ladrón, seguía siendo un hombre.

La siguió por su casa, con los tacones altos de ella golpeando el suelo de mármol como un latido de corazón demasiado rápido. Gianni iba encendiendo luces a su paso y la casa se iluminó, mostrando las paredes blancas frías y los muebles.

–¿Te morirías si pusieras un poco de color aquí? –murmuró ella.

Él frunció el ceño y miró a su alrededor. Había pagado mucho dinero al diseñador que había decorado el piso.

–¿Presunta ladrona y decoradora de interiores? –preguntó–. ¿Eso es lo que se conoce como pluriempleo?

Ella no contestó. En la sala de estar, se acercó al largo sofá blanco y tomó un pequeño bolso negro. Lo abrió, sacó un móvil y lo encendió. Pulsó un par de botones y le mostró la pantalla.

–Te he dicho que la tenía.

Gianni le quitó el teléfono, observó al hombre de la foto y sintió un nudo en la garganta. Era su padre. No había duda. Lo único bueno era que la foto era oscura y a otras personas podría costarles más identificar al hombre que salía por una ventana.

–Pasa la pantalla a la siguiente foto –dijo ella.

Él obedeció de mala gana. En la segunda foto vio a Nick colocándose sobre el borde del tejado para bajar. Su rostro no estaba tan claro como en la primera, pero resultaba identificable.

–Este podría ser cualquiera –dijo. Pulsó el menú y borró ambas fotos.

–Pero no lo es –replicó ella–. Y no tenías que haberte molestado en borrarlas. Tengo más copias.

Él le devolvió el teléfono.

–Imagino que sí. Parece que te crees que estás en una película de espías.

–Esta película se parece más a *Atrapar a un ladrón* –dijo ella. Y por primera vez desde que la sacara de debajo de la cama, sonrió.

Gianni sabía a qué película se refería y, a decir verdad, era una de sus favoritas. Cary Grant, el protagonista, era un ladrón de joyas que no solo conseguía ser más listo que la policía, sino que además acababa con la chica guapa, interpretada por Grace Kelly.

–¿Qué te propones? –preguntó.

–Bueno… –ella volvió a meter el teléfono en el bolso–. Es como en las películas. Necesito a un ladrón para atrapar a un ladrón.

Capítulo Tres

–Explícate.

Marie lo miró.

–¿Puedo sentarme? –preguntó.

–¿Puedo impedírtelo?

–No sé –murmuró ella. Se dejó caer en el sofá, que era tan incómodo como parecía–. Me duelen los pies –admitió. Se quitó los zapatos y se frotó las plantas de los pies.

–En ese caso, desde luego –musitó él con voz tensa–. Ponte cómoda.

–Eso no es posible en este sofá –ella pasó una mano por la tela–. Parece hecho de acero blanco.

–¿Quieres que te traiga un cojín?

Marie lo miró a los ojos y respiró hondo.

–Lo siento. Vale, explicación.

–Te lo agradecería.

Se mostraba muy civilizado de pronto, pero Marie no se dejaba engañar. Sus ojos expresaban una mezcla de muchas emociones controladas.

Lo cual no era sorprendente. Ella había investigado a la familia Coretti a lo largo de los últimos meses y todo lo que había encontrado sobre él le había llevado a pensar que era el más controlado de todos. El que estaría dispuesto a hacer más cosas para proteger a su familia. El que era más probable que la ayudara aunque no le gustara hacerlo.

–De acuerdo. Ya te he dicho que era policía.

–Sí.

–Vengo de una larga familia de policías –dijo ella–. Mi padre, mis tíos, mis primos… todos llevaron el uniforme en algún momento.

–Fascinante –dijo él con sequedad–. ¿Y en qué nos afecta eso a mi familia y a mí?

Estaban tan cerca que sus rodillas prácticamente se tocaban. Irritada, se puso en pie de un salto y él la miró sorprendido. Odiaba pensar que él mantenía un control rígido mientras ella empezaba a balbucear.

–Me vendría bien una taza de té –dijo–. ¿Tienes té?

–Te pido perdón por ser un anfitrión desconsiderado –murmuró él, levantándose a su vez–. Y por supuesto que tengo té. Estamos en Londres.

–Bien. Bien –ella echó a andar hacia la cocina, agarrando el bolso como si fuera un salvavidas. El horrible mármol blanco estaba frío bajo sus pies, pero al menos se había quitado los zapatos que le apretaban los dedos. Él iba justo detrás. Y ella no solo lo oía, también lo sentía.

–Siéntate y habla –dijo Gianni cuando entraron en la cocina.

Marie se sentó en una de las sillas fantasmas y miró el plexiglás blanco con el ceño fruncido.

–Estas sillas son odiosas, ¿sabes?

–Tomo nota –le aseguró él. Llenó una pava con agua en el fregadero y la enchufó–. No estás hablando de lo que quiero oír.

–Ella respiró hondo y lo observó moverse por la estancia, preparar las tazas y una tetera blanca pequeña. Echó té en la tetera, se apoyó con ambas manos en la encimera blanca de granito y la miró.

–Hace unos años me ofrecieron un empleo como jefa de seguridad en el hotel Wainwright en Nueva York –dijo ella–. Dejé el Cuerpo y acepté el trabajo.

–Felicidades –dijo él.

–Gracias. Todo fue bien hasta hace unos meses. Entonces robaron a Abigail Wainwright.

–Wainwright –Gianni repitió el nombre. Arrugó la frente, pensando–. El collar Contessa.

–Exactamente –Marie cruzó los brazos sobre la mesa de cristal–. Abigail tiene más de ochenta años y ha vivido en el ático del hotel los últimos treinta.

Sintió una punzada de dolor al pensar en la agradable anciana. No merecía que le robaran en su propia casa un collar que había estado en su familia durante generaciones. Y el hecho de que hubiera ocurrido en el turno de Marie empeoraba aún más la situación.

Había sucedido porque Marie había bajado la guardia.

–Ni mi familia ni yo robamos ese collar –señaló Gianni. Desenchufó la pava cuando empezó a pitar y echó agua hirviendo en la tetera.

–Yo no he dicho que lo hicierais –replicó ella–. Sé quién fue el ladrón.

–¿En serio? ¿Quién?

–Jean Luc Baptiste.

Marie observaba atentamente a Gianni para no perderse su reacción. Él frunció un instante los labios con disgusto y sus ojos brillaron de rabia. Se quitó la corbata y la arrojó sobre la encimera. A continuación se quitó la chaqueta y se desabrochó el cuello de la camisa.

–He oído hablar de él.

Sin la chaqueta, su pecho parecía amplio y musculoso. Y cuando Marie lo vio remangarse la camisa y mostrar los antebrazos bronceados cubiertos de vello oscuro, tuvo que tragar saliva para deshacer el nudo de deseo que se aposentó en su garganta.

–Jean Luc –dijo él– es torpe, arrogante y suele engañar a una mujer para que le ayude.

Marie apretó los dientes.

–Jean Luc se hospedó en el hotel un par de semanas y se mostró… encantador.

¡Y cómo la avergonzaba admitir que se había dejado engatusar por aquel encanto! ¿Pero tan sorprendente resultaba? Él era atractivo, cautivador y muy… francés. La había cortejado, se había mostrado muy atento con ella y Marie se lo había tragado todo. Por lo menos no había sido tan tonta como para acostarse con él. Aunque si aquello hubiera durado una o dos semanas más, quizá lo habría hecho.

Gianni resopló. Llevó las tazas a la mesa, tomó la tetera y la dejó también allí antes de sacar un paquete de galletas de un armario. No habló hasta que se hubo sentado enfrente de ella.

–Jean Luc te engañó.

Marie se sonrojó. Había pasado toda su vida rodeada de policías. Su padre la había educado de modo que tuviera una cierta dosis de cinismo sano. Pero Jean Luc había logrado que se sintiera tan tonta como cualquier víctima de un embaucador.

–Sí.

–¿Y es tan buen amante como le gustaría hacer creer a todo el mundo?

Ella abrió mucho los ojos.

–No puedo saberlo. Ese fue el único error que no cometí.

Gianni soltó una risita.

–Jean Luc debe estar perdiendo facultades. O sea que te utilizó para conseguir información de tu hotel y las medidas de seguridad. Y luego robó la Contessa y desapareció.

Ella suspiró.

–Más o menos.

Gianni movió la cabeza y sirvió el té.

–¿Leche? ¿Azúcar?

–No, gracias –ella levantó su taza y tomó un sorbo–. ¿Por qué eres tan amable? ¿Té, galletas?

–No hay motivo para que no podamos ser civilizados, ¿verdad?

–Oh, no –asintió ella–. La policía y el ladrón

sentados a la misma mesa compartiendo galletas. Es casi un cuento de hadas.

–Son buenas galletas –dijo él. Tomó una y empujó el paquete hacia ella.

Marie probó una y no pudo por menos que estar de acuerdo. Aquello era muy raro. No era así como había imaginado su primer encuentro con Gianni Coretti.

–Volviendo a la historia… –dijo.

–Sí. Estoy deseando saber cómo termina.

Ella lo miró con el ceño fruncido. Los ojos de él tenían un brillo que podía ser de humor, pero no estaba segura.

–Abigail no me culpó a mí por el robo –dijo–, pero la junta directiva del hotel, sí. Me despidieron.

–No me sorprende. Bajaste la guardia con un ladrón –Gianni frunció el ceño–. Y ni siquiera es un buen ladrón.

–Eso me consuela mucho, gracias –no solo la habían engañado, sino que además la había embaucado un ladrón al que los demás ladrones no respetaban–. Cometí un error y lo pagó Abigail. Quiero recuperar su collar. No –murmuró–. Necesito recuperar su collar.

Él asintió, como si entendiera el sentimiento que la impulsaba.

–Te deseo mucha suerte.

–Necesito más que suerte. Te necesito a ti.

Él rio con suavidad, movió la cabeza y sacó otra galleta del paquete.

–¿Y por qué me va a importar a mí lo que necesites tú?

–Por esa foto.

El rostro de él se volvió inexpresivo.

–Ah, sí. Tu chantaje.

Marie respiró hondo.

–He hecho averiguaciones. Salí de Nueva York después del robo. Saqué mis ahorros, compré un billete de avión para Francia y he pasado los últimos meses viajando por Europa. Primero busqué a Jean Luc en París, pero no lo encontré.

–Vive en Mónaco.

–¿Lo ves? –ella lo apuntó con un dedo–. Esa es una de las razones por las que te necesito. Tú sabes cosas que yo no sé.

–Muchas –asintió él.

–Como no podía encontrarlo, comprendí que iba a necesitar ayuda –ella se recostó en la silla y volvió a enderezarse porque el respaldo era muy incómodo–. Europa es muy grande y encontrar a un ladrón parecía una tarea imposible. Pero toda la policía del mundo conoce a los Coretti y vosotros no guardáis en secreto dónde vivís.

–¿Y por qué íbamos a hacerlo? –él se encogió de hombros–. No nos buscan por nada.

Ella optó por dejar pasar eso.

–Quería a los mejores y la familia Coretti lo es.

–Nos sentimos muy halagados –gruñó él.

–Seguro que sí –ella sonrió–. Fui a Italia, pedí algunos favores a policías amigos míos y conseguí información para encontrar la casa de tu padre.

Marie notó que agarraba la taza con tanta fuerza que tenía los nudillos blancos.

–Entonces lo seguí.

–Seguiste a mi padre –él apretó los dientes.

Ella asintió.

–Estuve días en un hotel cercano y aprendí sus costumbres. Es muy amable. Una vez incluso me invitó a un café en su cafetería favorita. Me dijo que tenía un acento precioso y me deseó unas vacaciones felices en Italia.

Gianni suspiró y alzó los ojos al cielo.

–Tu padre es muy atractivo. Me recuerda a alguien.

–George Clooney –sugirió Gianni–. Mi hermana dice que es una versión más vieja e italiana de George Clooney.

Marie sonrió.

–Así es –lo observó un momento–. Tú debiste salir a tu madre.

Gianni hizo una mueca.

–Muy graciosa. ¿Esta historia tiene un final?

–Sí. La foto que le hice fue pura suerte –admitió ella–. Seguí a Nick hasta una fiesta en un palacio cercano y me quedé allí sentada viendo ir y venir a los ricos y famosos. Después de una hora, estaba tan aburrida que decidí marcharme. Y entonces vi a tu padre en el tejado del segundo piso, saliendo por la ventana.

Gianni mordió la galleta con fuerza suficiente como para lanzar migas por toda la mesa.

Marie sonrió. Comprendía su frustración. Ella

tenía tíos que en ocasiones la enfurecían tanto como para desear morder acero.

–Él no me vio y se fue directamente a casa desde la fiesta –Marie tomó un sorbo de té–. Hice copias de las fotos, las almacené en distintos lugares y vine a buscarte.

–¿Por qué a mí? ¿Por qué no a mi padre o a Paulo?

–Porque tú eres el que más tiene que perder –dijo ella, mirándolo a los ojos–. Llevo una semana siguiéndote y creo que a la policía de Londres le interesaría mucho saber cuánto tiempo pasas mirando joyerías caras.

Él arrugó la frente y entornó los ojos.

–No he robado nada. Estaba buscando un regalo. Yo creo que la policía tiene cosas mejores que hacer –contestó él.

–Es posible –asintió ella–. Pero tenemos que pensar en la Interpol, ¿verdad? Estoy al tanto de tu trato. Tú te has retirado del negocio, pero tu familia no. Si muestro esta fotografía, tu padre irá a la cárcel y es incluso posible que la Interpol rompa tu trato de inmunidad.

–¿Qué te hace pensar eso?

Ella sonrió.

–Este tema del respeto a la ley es muy nuevo para ti, Gianni. Y no creo que se necesitara mucho para que las autoridades locales dudaran de tu devoción a la honradez.

Él se pasó una mano por el cuello y suspiró pesadamente.

–Muy bien. Dime qué es lo que quieres exactamente.

–Quiero que me ayudes a buscar a Jean Luc y recuperar el Contessa para Abigail Wainwright. Quiero limpiar mi reputación. Cuando tenga eso, te daré la foto de tu padre y desapareceré.

Gianni tomó un sorbo de té. Le habría gustado que fuera whisky. Estaba atrapado y lo sabía. Una furia fría le recorría las venas como si fuera agua helada.

En primer lugar, no le gustaban los intrusos. En segundo lugar, odiaba enterarse de que ella lo había seguido y odiaba todavía más no haberse dado cuenta. Pero lo que más odiaba era que ella tenía razón. Su papel de ciudadano respetuoso con la ley era tan nuevo que la policía de Londres e incluso la Interpol lo mirarían con dudas si Marie O´Hara los contactaba. Últimamente había pasado mucho tiempo en las joyerías más prestigiosas de la ciudad y la policía creería que estaba vigilando las tiendas, investigando los sistemas de seguridad y planeando un golpe. Cuando en realidad buscaba un regalo para su hermana.

Pero la policía no se creería eso. Miró a Marie intentando buscar una salida, pero no la había. Si no hacía lo que decía aquella mujer, su padre podía acabar en la cárcel. Nick Coretti no sobreviviría a una condena de cárcel. Era un hombre acostumbrado a las comodidades, a la compañía de mujeres, a la libertad de ir cuando y adonde quería. Estar encerrado le mataría el espíritu y Gianni no iba a permitir que ocurriera eso.

–Lo haré –dijo–. Recuperaré ese collar y, cuando lo tenga, me pondré en contacto contigo.

–Me parece que no –ella negó con la cabeza y su maravilloso cabello pareció bailar alrededor de su rostro en una masa de rizos fieros–. No te perderé de vista hasta que tenga el collar en mis manos.

–¿Vienes a pedirme ayuda pero no te fías de mí? –él hizo un gesto de burla.

–¿Esperas que confíe en ti cuando he tenido que chantajearte para que me ayudes? –ella sonrió y tomó otro sorbo de té–. Recuerda que he sido policía.

Gianni la miró irritado.

–Oye, dentro de unos días tengo que asistir a una reunión familiar en Isla Tesoro. No podré ir detrás de Jean Luc hasta después de eso.

Ella enarcó las cejas, sorprendida.

–Muy bien. Iré contigo.

Él tragó aire e intentó controlar la furia que empezaba a sentir en la boca del estómago. Una cosa era que lo chantajeara y otra que esperara que le presentara a su familia.

–Es el bautizo del niño de mi hermana. No puedo llevar a una extraña.

El rostro de ella no se alteró.

–Tendrás que encontrar un modo.

Gianni fijó la vista en la pared de cristal que había detrás de ella. En la distancia se veían las luces del Ojo de Londres. No podía eludir ir a Tesoro. Teresa, su hermana, no le perdonaría nunca que se perdiera el bautizo de su hijo. Además, esa semana habría una gran exposición de joyas en la isla y la Interpol lo quería allí.

Tomó otro sorbo de té y acabó por aceptar lo inevitable.

—Como quieras. Vendrás a Tesoro conmigo y después iremos a Mónaco a recuperar tu maldito collar.

—Me parece bien —ella se levantó y se colgó el bolso al hombro—. ¿Cuándo nos vamos?

Gianni se levantó a su vez.

—Dentro de tres días.

—¿Tres días? —ella se mordió el labio inferior y él adivinó lo que estaba pensando. Cómo lo iba a vigilar desde su hotel, dondequiera que estuviera, e impedir que se largara solo.

—Te quedarás aquí —dijo.

—¿Cómo dices?

—Necesitaremos los tres días para practicar.

—¿Para practicar qué?

Gianni la miró. Por fin veía dudas y preguntas en sus ojos. Por alguna razón, eso hizo que se sintiera algo mejor.

—Que somos pareja.

—¿Pareja de qué?

—Mi familia jamás aceptará que lleve a una extraña al bautizo de mi sobrino —hizo una pausa y observó la reacción de ella—. Así que, durante la próxima semana, serás mi prometida.

Capítulo Cuatro

–¿Prometida? ¿Estás loco?

–En absoluto. Si quieres acompañarme a la isla, tendrá que ser así. Mi familia no aceptaría que llevara a una desconocida a un bautizo…

–Oh, ¿pero aceptarán que te hayas prometido con una mujer de la que nunca han oído hablar?

Él se encogió de hombros.

–Mi familia no sabe nada de mi vida privada. Me creerán si les digo que me he enamorado perdidamente de ti.

Ella soltó una risita. Aquello no podía estar pasando. ¿Prometida de Gianni Coretti?

–No me gusta la idea de mentirle a mi familia, pero no veo otro modo de que esto funcione.

A Marie no le gustaba nada todo aquello. No porque se sintiera mal por mentir, sino porque se iba a sentir incómoda. Fingir un compromiso implicaba que tendrían que actuar como si estuvieran enamorados.

–¿Estás cambiando de idea? –preguntó él–. Es por tu alma de policía. Para vosotros es más difícil mentir. No tiene por qué ser así. Si prefieres esperar y que haga esto a mi modo…

–No.

Marie sabía que lo tenía pillado con la amenaza a su padre, pero si le daba ocasión, podía desaparecer y encontrar el modo de que su padre desapareciera también. No podía arriesgarse a eso. Tenía que permanecer cerca de él hasta que tuviera lo que había ido a buscar.

Respiró hondo.

—Como ya he dicho, no te perderé de vista hasta que recupere el Contessa.

—En ese caso, vamos a buscar tus cosas a tu hotel. Tendremos que empezar a practicar que nos adoramos —Gianni la miró de arriba abajo—. Esto va a requerir buenas dotes interpretativas.

—Muchas gracias.

Él sonrió y algo se movió dentro de ella. Aquello no era buena idea. Ya se sentía atraída por él. Pasar más tiempo juntos no haría que fuera fácil ignorar esa atracción. Solo tenía que recordar lo que le había hecho hacer Jean Luc. Y Gianni Coretti era mucho más peligroso.

Gianni era guapísimo y posiblemente muy encantador cuando se lo proponía. En otras circunstancias ella quizá habría disfrutado de la farsa de ser su prometida, pero en aquella situación estaban en bandos opuestos.

—Última oportunidad para que cambies de idea —dijo él, mirándola—. Una vez que empiece esto, llegaremos hasta el final. No permitiré que mi familia tenga que preocuparse de que vayas a meter a mi padre en la cárcel.

Marie pensó que los ojos de él eran oscuros y

41

casi sin fondo. Una punzada de culpabilidad la invadió, pero se disipó un momento después. Ella tampoco quería ver a Nick Coretti en la cárcel. Era un ladrón pero había sido amable con ella. Se riñó. La junta directiva del hotel Wainwright había hecho bien en despedirla.

Simpatizaba con un ladrón mayor, se había dejado cortejar por otro más joven y ahora se sentía muy atraída por otro más.

–No voy a retroceder –dijo–. Estoy en esto hasta el fin.

Él asintió.

–Entonces estamos oficialmente enamorados.

A Marie le dio un vuelco el estómago cuando él bajó la cabeza hacia ella.

–¿Sellamos el trato con un beso?

–Sí –murmuró ella, con la vista fija en los labios de él, que se acercaban cada vez más. Retrocedió un paso–. No es necesario.

Él sonrió.

–Querida –dijo, fingiendo sentirse dolido–. ¿Crees que ese es modo de tratar al hombre que amas?

Marie casi se atragantó con la saliva.

Él dejó de sonreír. Hizo una mueca.

–Este es el único modo de que podamos hacer lo que quieres. Acostúmbrate.

–En público sí –dijo ella, con más seguridad de la que sentía.

–Y en privado. Mi familia esperará ver a una mujer que está loca por mí.

Desafortunadamente, no tendría que fingir mucho para interpretar a una mujer que lo deseaba profundamente. Fingir amor sería más difícil, pero podría lograrlo.

–He trabajado como policía infiltrada. Puedo arreglármelas.

–Eso lo veremos, ¿no crees? –él la tomó de la mano y tiró de ella hasta la sala de estar–. Vamos a instalarte en nuestro nido de amor para que podamos empezar a practicar nuestra adoración mutua.

Partieron inmediatamente en el coche de él hasta el hotel de dos estrellas de Marie. Gianni encontró aparcamiento delante de la puerta del hotel.

–¿El A mas del Príncipe? –preguntó.

–Armas –corrigió ella–. Falta la R.

–A este edificio parece que le faltan unas cuantas cosas –señaló él cuando salía del coche–. Tamaño, belleza de algún tipo…

–Lo dice el hombre que vive en un palacio de hielo –murmuró ella.

Gianni frunció el ceño.

–Me sorprendió que las sillas fueran tan incómodas –admitió él.

Ella se detuvo a mirarlo.

–¿No te sentaste en ellas antes de comprarlas?

–No las elegí yo, las eligió el decorador.

–Claro –ella movió la cabeza.

¿Cómo podía lidiar con un hombre que era tan rico que compraba cosas sin ni siquiera probarlas? Iba por la vida haciendo lo que quería, y si no le salía bien, probaba otra cosa. ¿Que odiaba las sillas? Las cambiaba por otras. ¿Se cansaba de ser ladrón? Hacía un trato. Para los hombres como él, no había consecuencias.

–Tú tienes sillas en las que no te sientas y paredes que están pidiendo a gritos algo de color –ella movió la cabeza–. Lo único estupendo de tu casa son las vistas.

Él frunció el ceño una vez más.

–Si crees que me importa algo lo que piense mi chantajista de mi casa, te equivocas.

Marie se encogió de hombros e intentó reprimir una punzada de culpabilidad. Chantajista. Bonito nombre para una expolicía. ¿Pero qué otra opción tenía? Era preciso que recuperara el collar. Y no solo por Abby, sino también por ella misma. Si no lo conseguía, sería una fracasada. Peor aún, una estúpida por haberse dejado embaucar hasta bajar la guardia.

No importaba lo que tuviera que hacer para lograrlo. Se haría pasar por la prometida de Gianni y lo haría de un modo convincente. Fingiría estar loca por él e ignoraría la punzada de sensación que conocía siempre que se acercaba a él. Sería la mejor prometida falsa que había existido jamás.

Y cuando aquello acabara, volvería a Nueva York y recuperaría su vida.

Él la siguió por el vestíbulo del hotel. Su habitación estaba en el tercer piso, el último. El ascensor no funcionaba, así que se dirigió a la escalera y oyó a Gianni murmurar en italiano detrás de ella.

–¿Qué has dicho?

Él suspiró.

–He dicho que eres una mujer muy terca para tomar una habitación en la que tienes que subir escaleras como una cabra por una montaña.

–Siento no haber podido permitirme el Ritz.

–Yo también.

Marie se mordió el labio inferior y siguió subiendo las escaleras.

–Estás en el último piso, supongo.

–Sí.

–Por supuesto.

–¿En serio, Gianni? ¿Has pasado años robando en casas de dos y tres pisos y ahora te molestan unas pocas escaleras?

–No voy a admitir nada, que quede claro. Pero si eso fuera verdad, la recompensa por subir habría sido mucho más grande que la de ahora.

Ella se volvió a mirarlo. Tenía los dientes apretados y la boca tensa, pero seguía siendo el hombre más atractivo que había visto en su vida.

Marie sacó la llave de su bolso y abrió la puerta de la habitación. Esta era pequeña, solo una cama, una mesita, un armario antiguo, una televisión pequeña y una estufa eléctrica.

–Haré el equipaje en un momento –dijo.

Los dos últimos meses había ido de un sitio a otro en busca de los Coretti y no tenía muchas co-

45

sas. Sacó su bolsa de cuero falso de debajo de la cama, la abrió y empezó a meter vaqueros, camisas y ropa interior de los estantes del armario. Guardó sus deportivas favoritas y se dirigió al baño a recoger los cosméticos. Cuando los hubo metido también en la bolsa, echó un último vistazo a la habitación y se volvió hacia Gianni, que miraba la calle por la ventana.

–Estoy lista.

Él se giró y alzó las cejas.

–Estoy impresionado –dijo–. Eres la primera mujer que conozco que puede hacer una maleta tan deprisa.

–He tenido mucha práctica en las últimas semanas –contestó ella.

–Ah, sí –asintió él–. Persiguiendo a los Coretti.

Cruzó la pequeña habitación.

–Eres una mujer terca y decidida. Creo que serás una prometida formidable.

–¿Formidable?

Él se acercó tanto que ella se vio obligada a alzar la vista para mirarlo a los ojos. Tanto, que el calor que sentía entre ellos parecía chisporrotear de un modo tentador.

–He aprendido con los años que una mujer que tiene un plan es peligrosa.

Marie no se sentía peligrosa. Se sentía… inestable. Su plan no había funcionado como esperaba y ahora se mudaría a casa de Gianni y se haría pasar por su prometida. Eso sería permitirle asumir el control y la idea no le gustaba nada.

–¿Cuánto tiempo llevas haciendo esto? –preguntó él, devolviéndola al presente.

–¿Haciendo qué exactamente?

–Esto –él movió un brazo señalando la habitación–. Viajar por Europa hospedándote en estos sitios y siguiendo a mi familia.

–Un par de meses.

Él enarcó una ceja.

–¿Y te puedes permitir todo este… lujo? En Estados Unidos deben pagar muy bien los trabajos de seguridad.

Ella agarró su bolsa.

–No tan bien como se paga el robo, pero no me va mal.

Él le quitó la bolsa.

–Claro que la ropa que te he visto guardar ahora es inaceptable para una prometida mía.

Marie se sonrojó un poco. No tenía muchas cosas elegantes. De hecho, la ropa que llevaba puesta era la más femenina que tenía allí. Viajar sin parar por Europa implicaba viajar ligera de equipaje.

–Pues es una lástima, porque no tengo otra.

–En ese caso, tendremos que ir de compras mañana.

–No puedo permitirme ese tipo de compras –repuso ella.

–Eres mi prometida, pagaré yo.

–Me parece que no.

–Si te presentas en Tesoro con unos vaqueros desgastados y unas deportivas viejas, no podrás convencer a nadie de que estamos prometidos.

Aquello probablemente era verdad, pero a Marie no tenía por qué gustarle.

–Muy bien. Pero cuando esto se acabe, te quedarás la ropa.

–¡Ah, qué detalle tan generoso! –él se dirigió a la puerta–. Te la quedarás tú. Se la das a los pobres, si quieres. A mí me da igual.

Marie lo vio salir y contó hasta diez antes de seguirlo. Aquello iba a ser toda una prueba para su paciencia y su autocontrol.

Le parecía que lo único que le importaba a Gianni Coretti era su familia. Cosa que a ella le parecía bien. ¿Por qué, entonces, empezaba a sentir de nuevo aquella punzada de culpabilidad? Los dos hacían lo que tenían que hacer.

Al menos tenían eso en común.

A la mañana siguiente, cuando desayunaban en la terraza, Gianni le dijo:

–Háblame de ti.

Ella se atragantó con un sorbo de café y lo miró de hito en hito cuando él le dio una palmada en la espalda.

–Muchas gracias –dijo, cuando recuperó el aliento.

–No puedes morirte hasta que yo tenga las pruebas que escondes –contestó él.

Tomó su taza de café y dio un trago largo. Se recostó en su silla y sonrió para sí.

Al menos los muebles de la terraza eran cómodos.

–¿Qué quieres saber? –preguntó, mirándolo por encima del borde de su taza.

–Todo –contestó él–. La versión condensada, si no te importa –añadió–. Tenemos que saber algo el uno del otro antes de reunirnos con mi familia.

–¿A esto te referías con lo de practicar?

–Podemos considerarlo parte de eso, sí.

–Muy bien –ella dejó su taza en la mesa–. Soy hija, nieta y biznieta de policías.

–Mi más sentido pésame.

Marie le lanzó una mirada de irritación.

–Mi madre murió cuando tenía cuatro años y me crio mi padre. Tenía dos tíos y tres primos a los que no veía mucho. Principalmente estábamos mi padre y yo solos.

–¿Estabais?

–Él murió hace unos años –musitó ella, bajando la voz.

Aquello conmovió a Gianni. No quería sentir nada por ella. Estaba allí porque se había metido a la fuerza en su vida. Amenazaba todo lo que él quería y, sin embargo, al ver una sombra de dolor en sus ojos, se sintió conmovido por dentro.

–En cualquier caso –dijo ella, respirando hondo–, después de la muerte de mi padre, mi vida básicamente se centró en mi trabajo, y cuando perdí eso...

–Lo comprendo –comentó él–. Mi vida giró en torno a mi trabajo durante muchos años y...

–¿Tu trabajo? –preguntó ella–. ¿En serio? ¿Tú consideras robar un trabajo?

–Robar es una palabra muy vulgar –protestó él–. Y trabajo también. Yo prefiero carrera. O vocación.

–Oh, eso es perfecto –musitó ella–. Tú tenías vocación de maestro ladrón de joyas.

–Maestro –repitió él. Alzó su taza de café en un brindis–. Me gusta esa palabra.

–Normal.

Él soltó una risita, terminó el café y se levantó.

–Y ahora, si te vistes, podemos ir de compras.

–Odio ir de compras.

–Lástima –dijo él, que avanzaba ya hacia las puertas de cristal–. A mí me encanta.

Ir de compras con Gianni fue una experiencia reveladora.

La gente lo adulaba cuando entraba en una tienda. Y no eran tiendas corrientes, no. Solo se conformaba con los mejores diseñadores.

Esa tarde Gianni la llevó por todas las tiendas de Bond Street. Entraban en ellas y salían cargados de bolsas elegantes llenas de ropa que costaba lo suficiente como para comprar una casa.

Después de la primera docena de prendas, ella dejó de mirar los precios, aunque, en honor a la verdad, en muchos de los artículos no los ponían. Gianni le hizo probarse ropa que ella normalmente no habría mirado dos veces y, cada vez que se la probaba, tenía que admitir que le sentaba bien. Él tenía un gusto excelente.

Cuando terminaron de comprar zapatos de Ferragamo y bolsos a juego, Marie estaba al borde del desmayo. Tenía hambre, le dolían los pies y prefería quedarse desnuda a vestirse y desvestirse una vez más.

–¿Almuerzo, querida? –preguntó Gianni. Y ella lo miró, sobresaltada por la suavidad seductora de su voz.

En las dos últimas horas él había estado practicando ser su amante. Aprovechaba cada oportunidad para tomarle la mano, acariciarle el pelo o susurrarle algo suave y sexy lo bastante alto para que lo oyera la gente que los rodeaba. Le había dicho que tenía que acostumbrarse a estar cerca de él. A dar y recibir afecto abiertamente. Él era italiano y esas muestras de afecto le salían de un modo natural y su familia esperaría verlas.

Marie estaba nerviosa. Por supuesto, haber dormido muy poco la noche anterior probablemente tenía mucho que ver con eso. La cama del cuarto de invitados de Gianni era mucho más cómoda que la de su habitación del hotel. Pero la comodidad acababa allí. Saber que él estaba en la habitación de al lado le había impedido relajarse.

¿Cómo era posible que él la afectara tanto? No se había sentido atraída por un hombre desde… nunca. Pero ni siquiera podía fantasear con él porque era una locura. Ella le estaba haciendo chantaje. Él era un criminal. El tipo de hombre al que ella metía en la cárcel sin pensarlo dos veces.

Y sin embargo…

Él le pasó una mano por el brazo y ella se sobresaltó y sintió que el corazón le latía con fuerza.

Intentaba acostumbrarse a que la tocara, pero aquel día estaba siendo abrumador. La ponía nerviosa tener a un hombre como Gianni pendiente de ella. Además, nunca le había gustado ir de compras y las tiendas de ese día la hacían sentirse incómoda. La mujer que la miraba en aquel momento desde detrás de la caja registradora exacerbaba aún más aquella sensación.

Como todas las demás vendedoras del día, aquella era alta, exuberante, con una melena rubia que lograba que Marie se sintiera despeinada. La mujer tenía pómulos salientes, una elegancia innata y un acento británico de clase alta, y Marie a su lado se sentía como una bárbara. Era la clase de mujer con la que Gianni probablemente acostumbraba a salir. Sofisticación elegante bordeando el aburrimiento. Marie se sentía cada vez más como una campesina en medio de un grupo de princesas.

La vendedora aceptó la tarjeta de crédito de Gianni, le sonrió y lanzó a Marie una mirada de pura envidia mezclada con confusión, como si intentara adivinar cómo había conseguido estar con un hombre como aquel.

Marie decidió empezar su interpretación allí mismo y sorprender a Gianni con lo buena actriz que podía ser. Se tomó de su brazo, se apoyó en él y echó la cabeza atrás como si esperara un beso.

—Me encantará ir a almorzar, cariño. ¿Adónde

vamos hoy? ¿A un lugar íntimo? –su voz sonaba ronca y lo miraba a los ojos, así que notó la chispa caliente que apareció en las profundidades de los ojos oscuros de él.

–Muy tentador, querida mía –susurró él. Alzó una mano para acariciarle la espalda y bajarla por el trasero.

Marie se puso tensa y vio que los ojos de él expresaban regocijo. Se estaba vengando.

–Pero antes haremos más compras.

–Genial –susurró Marie, intentando mostrar entusiasmo.

–Es una mujer afortunada –dijo la vendedora con un suspiro–. Por tener un novio al que le gusta comprarle cosas bonitas.

–No es mi novio –dijo Marie. Le apartó la mano del trasero.

–Sí, soy su prometido –corrigió él, y no pareció darse cuenta de que la vendedora miraba el dedo sin anillo de Marie. Pero sí dio un pellizco a esta como para recordarle que seguían actuando.

Marie entonces se inclinó más hacia él, casi hasta frotarle los pecho. Le colocó la mano en el pecho y la fue bajando. Gianni le atrapó la mano antes de que llegara al cinturón.

–¿Me dejas firmar el recibo y nos vamos a casa a almorzar? Estoy deseando tenerte otra vez para mí solo, amor mío –le mordisqueó levemente los nudillos.

Ella contuvo el aliento, el estómago le dio un vuelco y un calor nuevo se instaló en su cuerpo.

No tenía más remedio que declararlo ganador de aquel pequeño rifirrafe.

Había intentado demostrarle algo y él había terminado el torneo derrotándola. Ahora tenía a una vendedora celosa de ella, un falso prometido enfadado con ella y su cuerpo en punto de ebullición.

Capítulo Cinco

–Tengo algo para ti –dijo Gianni.

Metió la mano en el bolsillo del traje en busca de la cajita de terciopelo que había guardado allí esa mañana antes de salir del piso.

–¡Oh, Dios! –gimió Marie. Tendió la mano hacia su copa de vino blanco–. Por favor, nada más. Ya tengo ropa suficiente para diez mujeres. No necesito más.

Él sonrió. Nunca había conocido a una mujer como ella. La mayoría de las que conocía estaban encantadas de ir de compras. Pero ella no había dejado de quejarse como si le doliera que gastaran dinero en ella.

Y cuanto más doloroso le resultaba a ella, más disfrutaba él con el ejercicio. La había vestido como tenía que ir vestida. Con colores brillantes que hacían brillar su pelo como fuego oscuro. Con faldas ceñidas, camisas tenues y zapatos de tacón alto que hacían que sus piernas parecieran todavía más largas de lo que eran. Y él, en un par de ocasiones, al verla salir del probador, había tenido que recurrir a todo su autocontrol para no volver a empujarla dentro y poseerla allí mismo.

En aquel momento estaban en uno de los restaurantes más exclusivos de Londres y solo podía pensar en quedarse a solas con ella para que pudieran «practicar» amarse. Movió la cabeza y renunció a intentar comprender por qué Marie O´Hara tenía aquel efecto en él. Ella era un peligro para su futuro y para la libertad de su familia. Y sin embargo…

El local estaba en silencio salvo por las conversaciones apagadas que se daban a su alrededor.

Ella estaba agotada y él se sentía tan lleno de adrenalina como en la víspera de un trabajo importante. Ella lo ponía nervioso y Gianni no estaba acostumbrado a eso. En su mundo, las mujeres eran intercambiables. Rubias, pelirrojas o morenas, antes de conocer a aquella mujer, le daba igual. Cuando quería una mujer, la tomaba y luego la dejaba ir. Nunca prolongaba la aventura más de una o dos noches porque, en su experiencia, eso hacía que ellas empezaran a mirarlo como deseando algo más.

Pero Marie no.

En sus ojos verdes brillantes solo leía determinación. Conseguiría lo que necesitaba de él y seguiría su camino. Y aquella era la primera vez en su vida que era la mujer la que planeaba marcharse.

¿Y por qué eso le resultaba tan interesante?

–¿Quieren pedir ya o necesitan más tiempo?

Gianni miró al camarero que estaba al lado de su mesa.

–Pedimos ya –dijo. Cerró la carta–. Dos platos de *roast beef*, por favor.

–Inmediatamente –el camarero recogió las dos cartas y se alejó.

–¿Y si yo no quiero *roast beef?*–Marie, sentada a su lado en el banco, lo miró de hito en hito–. ¿Y si me apetece pollo o pescado?

–Pues te llevarías una decepción –respondió él.

–¿Tú siempre tienes que asumir el control?

–¿No es eso lo que intentas hacer tú? –replicó él. Pasó el pulgar por la cajita que tenía en la mano.

–Yo no soy una controladora –repuso ella–. Simplemente sé cuál es el modo correcto de hacer algo.

–Ah, yo también –dijo él, sonriendo ante la frustración evidente de ella–. Como te he dicho antes, tengo algo para ti.

Ella entornó los ojos y lo miró con recelo.

–¿Qué?

Gianni deslizó la cajita por la mesa en dirección a ella.

Marie se quedó inmóvil. Miró la cajita como si esperara que se alzara como una cobra y la atacara. Al fin alzó la vista hacia él.

–¿Un anillo?

–Estamos prometidos –Gianni se encogió de hombros–. Y he visto que la última dependienta te miraba el dedo anular.

–No importa.

–Sí importa. Es una pieza importante de toda la historia que estamos forjando. Esta mañana me metí el anillo al bolsillo antes de salir de casa y luego olvidé dártelo.

Ella volvió a mirar la caja y suspiró.

–Mi familia esperará que lleves mi anillo. Es parte de la interpretación que aceptaste.

Marie tomó la cajita, la abrió y lanzó un respingo.

–No puedo llevar esto. Es casi una pista de hielo.

Gianni sintió orgullo. Era un diamante grande. Uno de los más grandes que había robado en su vida. Pero, sobre todo, ese anillo era un símbolo y por eso lo había guardado cuando debería haberlo vendido una docena de años atrás.

–Es exactamente el tipo de anillo que yo le compraría a mi prometida –dijo. Lo sacó de su lecho de terciopelo.

–¿Te refieres a ostentoso y llamativo?

Una vez más, ella suscitaba su curiosidad.

–Eres la primera mujer a la que he oído decir que un diamante es demasiado grande.

–Yo no soy como otras mujeres –señaló ella.

–Sí, eso también lo he notado.

Marie entornó aún más los ojos.

–Has dicho que lo tenías en tu casa. ¿Cuándo lo compraste? ¿Hay otra prometida por ahí?

–Oh, no lo he comprado –le aseguró él.

Ella abrió mucho los ojos.

–Lo robaste.

–Presuntamente –contestó él. Después de todo, no sería prudente darle más munición para que la usara contra él–. Este anillo tiene un valor sentimental para mí.

–¿Y eso por qué?

Él la miró un momento, pensativo.

–Si vamos a fingir que somos amantes, tenemos que conocernos, y eso implica contarnos cosas de nuestro pasado. Sin embargo –añadió él–, estoy en la posición de tener que preocuparme por si mi prometida contará a sus amigos polis lo que yo le diga.

Ella pareció sentirse insultada.

–¿Qué? –preguntó en voz baja y furiosa–. ¿Tú crees que tomo notas? ¿Que llevo un micrófono oculto?

–No había pensado en eso –musitó él.

Pero lo pensó en aquel momento. No sería la primera vez que la policía utilizaba a una mujer hermosa para intentar sacarle información. Por supuesto, esos intentos habían fallado porque él los había detectado.

Pero con ella… Ella bien podía trabajar de infiltrada. ¿Tenía orden de aprovechar aquella proximidad para recabar más información contra su familia y contra él?

Gianni la miró a los ojos y, cuando ella habló, escuchó no solo sus palabras, sino también el tono. Igual que observaba su lenguaje corporal. Había aprendido de niño a pillar a un mentiroso. Y las señales que transmitía Marie no eran de engaño.

–No llevo un micrófono. Puedes cachearme luego si quieres asegurarte.

Gianni pensó en eso. En quitarle la blusa blanca nueva, desabrocharle el sujetador y registrar su cuerpo en busca de micrófonos plantados por la policía. Y pensando en eso, se excitó y se alegró de estar sentado, pues en ese momento le habría resultado doloroso andar.

–Cachearte suena tentador –dijo.

Un brillo de calor le cruzó la mirada antes de que pudiera ocultar su reacción. Y su respuesta solo consiguió alimentar aún más el fuego de él. ¡Maldición!

–Dejando a un lado lo de que me registres –dijo ella–. ¿Por qué iba a contar yo nada de lo que me digas?

–Podrías estar trabajando en secreto con la ley y que todo esto sea una trampa elaborada –Gianni no lo creía así, pero era mejor ponerlo todo sobre la mesa.

–Nadie se inventaría un escenario como este –lo miró sorprendida–. Pero si te ayuda, lo diré. No trabajo para nadie. Y si intentara hablar con la policía, no me creerían. No tendría pruebas para apoyar lo que dijera y tú les dirías que te he hecho chantaje para que me ayudaras, así que yo no quedaría muy bien, ¿verdad?

–Una explicación elocuente –asintió él–. Aun así, me gustaría tener tu palabra de que no contarás nada de lo que nos oigas a mi familia o a mí.

–¿Tú aceptarías mi palabra sobre eso? –preguntó ella.

Gianni sonrió para sí. Marie era policía hasta la médula, aunque en ese momento no tuviera ese trabajo. La honradez era algo innato en ella, a pesar de su intento actual de chantaje. La miró a los ojos y vio lo que tenía que ver antes de contestar:

–Sí, aceptaría tu palabra.

Ella le dedicó una sonrisa que él sintió como una victoria.

–Entonces la tienes. No contaré nada de lo que hablemos aquí o en la isla.

Él inclinó brevemente la cabeza.

–Teniendo eso en cuenta... –sacó el anillo de su lecho de terciopelo y lo examinó–. Robé este anillo hace doce daños. Fue el primer trabajo importante que mi hermano Paulo y yo llevamos a cabo solos.

Ella respiró hondo y contuvo el aliento.

–Estábamos en España –dijo él, recordando una noche cálida de verano en Barcelona. Una noche en la que su hermano y él habían forjado un plan, declarado su independencia de la familia y demostrado que se habían ganado entrar en el legado de los Coretti.

Todos los Coretti eran educados para eso. De niños les enseñaban a forzar cerraduras, a caminar sin hacer ruido, a andar por el borde de los tejados como otras personas caminaban por su jardín. Aprendían a diferenciar los diamantes buenos de los malos, a encajar en cualquier situación y a esquivar persecuciones. Los Coretti habían sido ladrones durante generaciones. Los mejores. Y el negocio familiar había crecido con los años.

Teresa, la hermana de Gianni, había sido la única Coretti en generaciones que no había aceptado esa vida. Siempre había elegido el camino de la honradez y tener una profesión de verdad. Nadie de la familia había comprendido sus deseos hasta un año atrás, cuando Gianni por fin había entendido lo que su hermana había sabido desde el principio. Que robar no era un buen modo de vivir. Que quitarle cosas a la gente significaba que también robabas un pedazo de sus vidas.

Curiosamente, robarle una daga antigua al hombre que se había convertido en el marido de Teresa era lo que había impulsado a Gianni a hacer algunos cambios personales. Había sido una revelación que lo había dejado aturdido y dispuesto a cambiar su estilo de vida.

—La mujer que perdió este anillo era encantadora. Recuerdo que a Paulo le gustaba mucho —musitó, recordando.

—Pero se lo robó de todos modos.

—Por supuesto. Es nuestro trabajo. Había una fiesta de fin de semana en su casa de campo en las afueras de Barcelona. Paulo y yo nos colamos en la fiesta, nos mezclamos con los invitados y después robamos las joyas que ella guardaba en una caja fuerte en su dormitorio. Todo fue de maravilla.

—¿Y no sospecharon de vosotros?

—¿Por qué iban a hacerlo? —él sonrió y apretó un momento el puño para sentir los bordes afilados del anillo clavándosele en la mano—. Nosotros éramos dos invitados más de los cientos que había en la fiesta, y nos marchamos mucho antes de que llegara la policía a investigar.

–No sé si sentirme impresionada u horrorizada.

Él soltó una risita y miró el anillo.

–Voto por impresionada. Horrorizada parece propio de una mente muy cerrada.

El camarero se acercó, les sirvió la cena y volvió a marcharse. Marie miró su plato.

–El *roast beef* tiene buena pinta –admitió de mala gana.

–Es su especialidad –dijo él–. Yo vengo mucho por aquí cuando estoy en Londres.

–Pero no estás en Londres a menudo.

Gianni se encogió de hombros.

–No. Paso mucho tiempo viajando.

–Eso ya lo sé.

Gianni le tendió el anillo, esperando que lo tomara. Como no lo hizo, le agarró la mano derecha y se lo puso.

–No es mi anillo. Es de esa mujer de Barcelona.

–No, no lo es. Ha sido mío durante doce años.

–Tenerlo no significa que sea tuyo.

–Según mi modo de pensar, sí –él tomó el cuchillo y el tenedor–. Llévalo. Es parte de tu disfraz para nuestra interpretación. Una parte más de la farsa.

Ella miró el anillo, que le ocupaba toda la primera falange del dedo anular.

–No sé si eso ayudará.

Gianni movió la cabeza.

–Tendrás que reprimir esas tendencias honradas tuyas durante unos días. Para jugar al juego que tú quieres, tendrás que ver más sombras grises que blancas y negras –dijo.

Pero mientras la observaba, vio que parecía preocupada y nerviosa. Y tuvo la clara impresión de que Marie O´Hara era demasiado honesta para sacar aquello adelante.

Marie no estaba segura de poder hacer aquello. Vivir con Gianni era más difícil de lo que había imaginado. En los últimos días había pasado horas con él. Solo tenía paz cuando se retiraba a su habitación. Solo entonces tenía tiempo para pensar. Para preguntarse cómo se había metido en aquello y cómo iba a sobrevivir.

Gianni era sexy y encantador. Era algo más que un ladrón. Era divertido. A menudo dirigía su sentido del humor contra sí mismo, lo cual ella encontraba muy atractivo. Le gustaba ir a sitios, ver cosas, y eso también la atraía. Le había enseñado Londres. Todos los puntos turísticos de los que ella había oído hablar y algunos de los que no. Habían visto las joyas de la corona, la Torre de Londres y el cambio de guardia en Buckingham Palace.

Le había mostrado la abadía de Westminster, Trafalgar Square y Carnaby Street. Habían almorzado en pubs, cenado en restaurantes elegantes de cinco estrellas y la noche anterior habían ido a bailar a un club privado.

En conjunto, se mostraba tan encantador que a ella le resultaba muy difícil resistirse. Él aprovechaba cualquier oportunidad para tocarla, para tomarle la mano o apartarle el pelo de la cara. Todavía no la había besado y Marie no sabía si sentirse aliviada o no. Besarlo haría que sus noches le parecieran más largas y los días más confusos.

Miró el anillo en su dedo y suspiró. Era enorme. Y robado. Y empezaba a gustarle la sensación de llevarlo.

La voz de Gianni interrumpió sus pensamientos.

–Estás ahí.

Ella se volvió desde la barandilla de piedra y lo miró acercarse. Llevaba una camisa negra de manga corta, vaqueros y botas negras y su atuendo le hacía parecer atractivo y peligroso a la vez. Una combinación embriagadora.

Portaba dos vasos largos y le tendió uno.

–¿Café con leche?

Gracias.

–¿Qué estabas pensando? –preguntó él, apoyando los codos en la barandilla de piedra.

–Nada en concreto –ella miró la otra orilla del Támesis, donde se levantaban el Big Ben y los edificios del parlamento.

–Todavía no se te da bien mentir. La honradez sigue brillando en tus ojos. Es una lástima.

Marie se echó a reír.

–La honradez no es una enfermedad, ¿sabes? No es contagiosa.

–Díselo a mi hermano Paulo –él apoyó los codos en la barandilla de piedra y observó el movimiento del agua–. Desde que hice el trato con la Interpol, mantiene las distancias como si pudiera atacarle el virus de la honradez que atacó a nuestra hermana desde su nacimiento.

–¿Vuestra hermana Teresa? ¿La que vive en Tesoro?

–Sí –él sonrió con ternura–. Es mi única hermana. Y desde que era niña, supo que no quería ser una ladrona como todos los demás.

–¿Y cómo se lo tomó tu padre? –preguntó Marie.

–Creo que al principio se llevó una decepción. Pero lo único que ha querido siempre es que sea feliz, así que, aunque no lo entendía, apoyó sus sueños.

–Parece un buen padre.

Gianni se volvió a mirarla.

–Lo es. Siempre ha estado a nuestro lado. Desde que murió nuestra madre, creo que se siente solo, pero nunca lo transmite.

–Mi padre también era estupendo –musitó ella, que lo echaba mucho de menos–. Era muy gracioso. Siempre me hacía reír. Y siempre estaba allí para abrazarme y decirme que todo iría bien. Siempre. Hasta que dejó de estar.

–¿Cuánto tiempo hace que lo perdiste?

–Cinco años. Un conductor borracho chocó con su coche patrulla. Murió en el acto.

–Lo siento –Gianni le tomó la mano.

El calor de su contacto se instaló en la piel y los huesos de ella y le produjo una sensación de consuelo… y algo más. Ese más era lo que la preocupaba.

Gianni se enderezó y echó a andar sin soltarle la mano.

–¿Adónde vamos?

–A hacer las maletas. Mañana salimos para Tesoro.

–¿Mañana?

–Sí. La Interpol espera que esté allí para vigilar antes de que empiece la exposición de joyas. Y mi hermana querrá que tenga tiempo de admirar a mi nuevo sobrino.

–Bien –musitó ella.

Se dijo que lo mejor era empezar cuanto antes. Estarían en el bautizo, Gianni haría su trabajo para la Interpol y luego podrían ir a buscar a Jean Luc y recuperar el collar. Y después ella volvería a casa. A Nueva York.

Curiosamente, la idea de ir a casa no le resultaba tan atractiva como unas semanas atrás.

Capítulo Seis

No estaba nerviosa, no. Sencillamente no podía dormir. No era lo mismo.

Marie se movía silenciosa por el interminable piso blanco. No quería despertar a Gianni, así que abrió la puerta de cristal de la terraza centímetro a centímetro. Como estaban en un décimo piso, el viento era fuerte y lo sintió en cuanto salió. Pero no le importó. Al contrario, le resultaba maravilloso el frío en la piel, pegándole al cuerpo el camisón corto que llevaba.

La barandilla alrededor de la terraza estaba plantada de setos. Rosas, naranjas y amarillos se mezclaban con el verde. Había una mesa y sillas, sorprendentemente cómodas, y Marie se acercó a mirar la ciudad desde la barandilla.

Habían pasado muchas cosas en pocos días. Gianni Coretti no dejaba de sorprenderla. Después de todo, era un ladrón. Pero era divertido y amable. Ella había sido educada para creer en el bien y el mal. En el mundo O´Hara no había sombras. Todo era blanco o negro, legal o ilegal. Pero ahora empezaba a observar cómo el blanco y el negro se mezclaban en un gris con el que no sabía si estaba preparada para lidiar.

Y él le hacía sentir cosas que no había sentido nunca. Cosas que no debería sentir. El anillo en la mano izquierda le pesaba de pronto, como si sintiera el peso no solo en el dedo, sino también en el alma. Miró el enorme diamante, robado a una mujer en Barcelona y guardado después como trofeo por un ladrón que ocupaba demasiado los pensamientos de Marie.

—Está bien —dijo con suavidad—. Quizá esté nerviosa.

—No hay motivo para estarlo.

Una voz detrás de ella la sobresaltó. Se giró a mirar a Gianni.

—¿Quieres que me caiga por el borde de la terraza?

Él se apoyó en el dintel de la puerta. Llevaba el pecho desnudo y solo un pantalón de pijama de seda negra. A la luz de la luna, su piel brillaba como bronce antiguo.

Marie tragó saliva.

—El único modo de que pudieras caerte de la terraza —dijo él—, sería ponerte encima de los setos, subir a la barandilla y saltar. No estás tan nerviosa como para eso, ¿verdad?

—Si te acercas más, puede que lo esté —murmuró ella.

El deseo le fluía caliente por las venas y sentía un cosquilleo de anticipación entre los muslos. Aquello era mucho más difícil de lo que había pensado. Toda aquella intimidad fingida empezaba a adquirir una realidad propia y con ella llegaban otros sentimientos que Marie, simplemente, no estaba preparada para afrontar. Y cuando él se apartó perezosamente de la puerta y echó a andar, supo que aquello se iba a complicar todavía más.

¿Él era tan alto cuando estaba vestido?

Marie respiró hondo, con la esperanza de tranquilizarse. En lugar de eso, se sintió aún más mareada. Todo aquel asunto del compromiso le parecía de pronto mucho más real. Mucho más inmediato. Mucho más peligroso.

—No te acerques más, Coretti.

—¿Tienes miedo, O´Hara? —preguntó él, con su voz oscura y aterciopelada.

¿Qué tenía la voz de aquel hombre que podía hacerla derretirse por dentro?

—No. Solo soy cautelosa.

—No me interesa la cautela —dijo él—. Me interesa mucho más por qué estás tan nerviosa.

—Por esto… Por ti. Por mí. Probablemente no sea una buena idea —Marie retrocedió un par de pasos, pero no había adónde ir. La terraza no era tan grande.

—A mí me parece una idea excelente. Los dos somos adultos. Los dos sabemos lo que queremos. ¿Qué es lo que te pone nerviosa? —preguntó él, cada vez más cerca.

—¿En este momento? —ella respiró hondo—. Tú.

Él sonrió un poco. El viento le revolvía el pelo sobre la frente y, en la penumbra, sus ojos se veían llenos de sombras.

—Creo que me gusta ponerte nerviosa —confesó.

Esquivó el borde de la mesa y siguió avanzando hacia ella.

–Estupendo –contestó Marie. Miró detrás de sí como si esperara encontrar algún pasadizo secreto que llevara directamente desde la terraza al interior del ático. Pero no tuvo esa suerte–. Me alegra que te guste.

–Podría gustarnos a los dos.

Ella lo miró. Estaba ya tan cerca que solo tenía que alzar una mano y podría pasarle los dedos por su pecho escultural. Y sus dedos anhelaban hacer justamente eso. Apretó los puños a los costados en un esfuerzo por contrarrestar sus impulsos.

–Y eso significa...

Él soltó una risita.

–Ya sabes lo que significa.

Oh, sí, ella lo sabía. Su cuerpo había entendido exactamente lo que quería decir él. El calor de antes empezaba a convertirse en un ardor infernal.

–Sí, lo sé –se apartó el pelo de la cara y se obligó a mirarlo a los ojos–. Pero eso no va a pasar.

Él se encogió de hombros.

–Depende de ti, por supuesto, pero estamos «prometidos».

¡Con qué facilidad la descartaba! Tan pronto utilizaba su aterciopelada voz y el calor de su mirada para seducirla como se encogía de hombros y desechaba aquello como si no le afectara el calor que palpitaba entre ellos. Marie no sabía si sentirse impresionada o insultada. ¿Por qué no podía hacer ella lo mismo?

–¿Por qué te has despertado? –preguntó.

–Tengo el sueño ligero. Te he oído abrir la puerta y salir y de decidido venir a ver qué ocurría.

–Muy considerado por tu parte.

–Oh, soy un hombre muy considerado –asintió.

Su mirada subió y bajó por el camisón de ella y Marie supo lo que veía. Era un camisón negro, con dos jirafas que estiraban el cuello al lado de un letrero: «Ha sido una noche muy larga».

Él sonrió.

–Quizá deberíamos volver a pasar hoy por la tienda de lencería.

Marie, irritada, cruzó los brazos sobre el camisón que le había regalado su padre el año de su muerte.

Además, no quería pensar en la tienda de lencería. Nunca antes había tenido a un hombre al lado cuando elegía bragas y sujetadores. Y, por supuesto, nunca antes había elegido un hombre por ella más de la mitad de lo que compraba.

–Bueno –dijo él, al ver que ella no hablaba–. Te he oído decir que estabas nerviosa.

–No deberías escuchar detrás de las puertas.

–Y tú no deberías hablar sola. O sea que los dos tenemos motivos para avergonzarnos. Pero volviendo a tus nervios…

–Estaré bien.

–¿Estás segura? –se acercó más a ella.

–Pues claro que sí. Estaba algo preocupada por lo de fingir delante de tu familia, pero… –forzó una sonrisa–. No puede ser tan difícil, ¿verdad?

–¿Hacerte pasar por mi amante? –Él guiñó un ojo–. Prometo ser muy atento y ayudarte todo lo que pueda.

Aquello era lo que se temía. En los últimos días habían estado juntos casi continuamente y las atenciones de él la habían llevado casi hasta el límite. No debería ser así. No debería ser tan difícil mantener la mente en el trabajo e impedir que su cuerpo reaccionara cada vez que él se acercaba demasiado.

Como en aquel momento.

El viento suspiró a su lado y Marie notó que hacía más frío que antes. Los últimos días habían sido sorprendentemente cálidos para el verano inglés, pero parecía que eso iba a cambiar. Y el súbito cambio de temperatura era una buena excusa para huir.

–Tengo frío –dijo. Y se felicitó por la mentira, pues con Gianni mirándola de aquel modo, el frío no era una opción.

–Bravo.

–¿Qué?

–La mentira. La has dicho sin vacilar. Casi ha resultado creíble.

–¿Casi? –ella alzó la barbilla, decidida a mantenerla.

–No tiritas –señaló él–. Y el brillo de tus ojos habla de calor, no de frío.

–Déjalo ya, Gianni –susurró ella.

Dio un paso al frente, con la esperanza de que él retrocediera y se apartara.

No lo hizo.

En lugar de eso, le puso ambas manos en los hombros y la retuvo en el sitio. Marie se vio obligada a alzar la barbilla para mirarlo a los ojos y su boca quedó a muy poca distancia de la de él.

—Creo que deberíamos hacer algo antes de mañana —dijo Gianni.

Ella sintió la boca seca.

—¿El qué? —preguntó.

—Un beso —musitó él con voz ronca.

Marie quería hacerlo. Lo cual significaba que probablemente no debía. Bajó la vista a la boca de él y Gianni curvó levemente los labios como si supiera exactamente lo que ella pensaba. Marie subió la vista a sus ojos y dijo con suavidad:

—Esto no era parte del trato.

—Los tratos se pueden renegociar —musitó él. Y su mirada se movió por el rostro de ella como una caricia.

—¿Negociar cómo? —ella movió la cabeza—. Esto es temporal y los dos lo sabemos.

—Eso no significa que no podamos divertirnos —replicó él—. Vive el momento, Marie. Puede que te guste.

Ella nunca había vivido el momento. Estaba llena de planes, de estrategias y de preocupaciones por el futuro. Incluso de niña, tenía ya metas. Y se había concentrado en esas metas, en esos planes, con exclusión de todo lo demás. No había salido mucho con chicos porque, francamente, nunca le había encontrado mucho sentido. Su mundo estaba lleno y no le había parecido que valiera la pena intentar encajar a un hombre en él. Sobre todo porque nunca había conocido a uno que le hiciera querer tirar sus planes por la ventana.

Hasta aquel momento.

Gianni le hacía pensar cosas tan extrañas para ella que casi no reconocía sus pensamientos. ¡Y qué ironía que el primer hombre que hacía cantar a su cuerpo fuera el hombre equivocado!

Él movió los pulgares por los hombros de ella, que sintió el calor de su contacto a través de la tela del camisón. La acercó hacia sí y ella se apoyó en él instintivamente. «Un error», se dijo. Un gran error.

—La intimidad no se puede fingir —comentó él—. Mi familia estará con nosotros. Notará si estamos incómodos el uno con el otro. Y no queremos eso, ¿verdad?

—Supongo que no —respondió ella. Su papel tenía que ser convincente. Si no, ¿para qué molestarse?

Él le bajó una mano por el hombro, le deslizó los dedos por el pelo y le posó la mano en la nuca.

—Deberíamos conocer el sabor del otro. Y este es el momento.

Ella no habló. No era preciso. Además, su cerebro ya no estaba al cargo. Su cuerpo tenía las riendas y estaba lleno de energía. Siempre había creído que estar con el hombre equivocado era peor que estar sola. Había reprimido tanto tiempo sus hormonas, sus necesidades, que todo en su interior se estaba liberando a la vez.

Racionalmente sabía que Gianni Coretti era el

hombre equivocado. Pero en aquel momento era el único hombre que importaba. Aquel momento no era para pensar. Era para saborear eso que tanto deseaba.

Él bajó la cabeza y la besó en los labios y Marie soltó un suspiro. Esa suave exhalación detonó algo en Gianni, porque le bajó las manos a la cintura y la apretó con tanta fuerza que no quedó ninguna duda de que la deseaba tanto como ella a él.

Una necesidad alimentó a la otra y sus lenguas se enredaron en un baile frenético de sensaciones. Ella le subió las manos por su piel dorada hasta apretarle los hombros. El calor irradiaba del cuerpo de él y se introducía en el suyo. Él le sujetaba la cabeza mientras le besaba la boca, dejándola sin aliento y sin voluntad.

El sabor que le daba prometía más y eso la tentaba. Imágenes dispersas pasaban por su mente. Imágenes de ellos dos abrazados en la enorme cama de él, piel contra piel, explorando, con sus cuerpos fundiéndose. Marie se entregó a las sensaciones que la recorrían porque nunca había conocido nada igual.

Él la estrechaba con fuerza, hasta que ella no habría podido decir dónde acababa el cuerpo de él y empezaba el suyo. Él reclamaba más y daba más. Su beso se hizo aún más profundo y gemía cuando la lengua de ella respondía a la suya caricia por caricia. Sus alientos se mezclaban, sus corazones latían al unísono con un ritmo frenético.

Así pasaron minutos, horas. Marie no habría sabido decirlo. La noche los rodeaba, envolviéndolos en un capullo de estrellas, de luna y del toque frío del viento. El mundo entero parecía encogerse a su alrededor hasta que solo existía aquella terraza y ellos dos. Fue un momento fuera del tiempo y Marie supo que las cosas entre Gianni y ella ya no volverían a ser igual.

Cuando le daba vueltas la cabeza y sentía las rodillas débiles, él interrumpió al fin el beso, y Marie se dejó caer sobre su pecho sin aliento. Su único consuelo era que, a juzgar por los latidos de su corazón, él no estaba manejando aquello mejor que ella.

–Eso ha sido… una revelación –dijo él al fin.

Ella se echó a reír y movió la cabeza sobre su pecho.

–¿Una revelación?

–Sí –él le alzó la barbilla para poder mirarla a los ojos, como si buscara algo allí–. Nunca había besado a una policía y creo que me he perdido algo todos estos años.

–Bueno –ella intentó el mismo tono de falsa ligereza que había usado él–, yo tampoco había besado nunca a un ladrón y debo decir que ha estado bastante bien.

–¿Bastante bien? –repitió él–. Ahora me acabas de poner en mi sitio.

Marie le sonrió.

–¡Quién sabe! Puedes mejorar con la práctica.

Él le apartó el pelo de la cara, le bajó los dedos por la barbilla y le puso la mano en la mejilla.

–Soy un forofo de la práctica, querida. ¿Por qué vamos a conformarnos con «bastante bien» si con un poco de trabajo podemos llegar a la perfección?

Gianni estaba hecho un manojo de nervios y sabía que era culpa de Marie. Ella iba sentada con su nueva ropa de diseño y él solo podía imaginarla con aquel ridículo camisón de las jirafas.

Su pelo era suave y bien peinado y el maquillaje perfecto. Pero él retenía la imagen de unos rizos empujados por el viento, unos ojos somnolientos y unos labios hinchados por el beso. Y no podía dejarse atrapar por aquella obra de teatro que habían montado. Aquella mujer lo estaba chantajeando y esa no era una buena base para el tipo de relación que le gustaría tener con ella.

Decidió que mantendría las distancias. Sobreviviría a esa semana con su familia y después recuperaría el collar y conseguiría las pruebas contra su padre. Estaba dispuesto a arriesgarlo todo para mantener a su familia a salvo. Incluso estaba dispuesto a pasar una semana en la misma habitación que Marie O´Hara.

Cuando llegaron a Tesoro, Gianni estaba ya en control de la situación. Había aprovechado la familiaridad del vuelo hasta St. Thomas y el recorrido en la lancha que los llevaba a la isla para aclarar sus pensamientos.

–¡Qué hermosa!

Gianni se volvió a mirar a Marie, que iba sentada en el banco azul zafiro enfrente de él. La luz del sol iluminaba el fuego oscuro de su cabello. El viento revolvía ese cabello y ella miraba la isla con un brillo en los ojos.

Estaban solos en la lancha, pero no habían hablado desde que salieron de St. Thomas. Desde la noche anterior, había tensión vibrando entre ellos. Gianni nunca había vivido un beso tan explosivo. Casi se había permitido olvidar quién era ella y por qué estaba allí. Casi había dejado a un lado su cautela innata para meterse en algo que podría haber terminado poniendo en peligro a la familia que intentaba proteger.

Le había costado apartarse de ella y había pasado las horas siguientes con un dolor exquisito por lo que se había negado a sí mismo.

–Tesoro es hermosa –asintió.

Miró lo que miraba ella. Kilómetros de playas blancas, de palmeras extendiéndose a lo largo de la costa, mezcladas con otros árboles que daban sombra a calles estrechas y casas con tejados de baldosas de terracota suspendidas a lo largo del borde de los acantilados.

–Es como un arco iris en tierra –dijo ella. Le sonrió.

–Es un lugar muy agradable –repuso él–. A Teresa le encanta vivir aquí.

–¿Y a ti no?

Él fijó la vista en el muelle.

–Tesoro es perfecta para unas breves vacaciones. Ya verás cuando llegues al pueblo. Flores por todas partes, calles adoquinadas con tiendas de colores brillantes.

–Suena maravilloso.

–Oh, lo es. Pero yo me pongo nervioso después de una semana –la miró–. Creo que necesito la ciudad. El jaleo. El ruido. La sensación de perseguir la vida sin tregua, mientras que aquí la mayoría están contentos con dejar que transcurra la vida en sus propios términos.

Ella asintió pensativa.

–A mí también me han gustado siempre las ciudades grandes. La gente dice que son impersonales, pero no es cierto. Es solo que la gente está demasiado ocupada para meterse en las vidas de los demás –alzó la cara al viento–. Pero puedes contar con tus amigos y, cuando tienes la oportunidad de frenar un poco, hay mucho que hacer y ver en una ciudad.

¡Maldición! Aquella mujer era casi perfecta. Excepto por el tema del chantaje. Y él no debía olvidar eso en ningún momento. Ella había acudido a él con la amenaza de meter a su padre en la cárcel. Su relación no era más que un juego.

Y eso era algo que Gianni lamentaba cada día más.

Capítulo Siete

–Me parece que tenemos un comité de bienvenida –anunció Gianni, mirando el muelle–. Mi hermana y Rico, su esposo, nos están esperando.

–¡Maldición! –murmuró ella–. Ya han vuelto los nervios.

Cuando terminara todo y Marie hubiera vuelto a Nueva York, se lo explicaría todo a los Coretti y lo entenderían. O eso esperaba.

–Todo irá bien –dijo.

–Para ti es fácil decirlo –contestó ella, con la vista fija en el muelle y en las dos personas que los esperaban–. Tú ya los conoces.

–Y tú me conoces a mí.

–¿Te conozco? –ella volvió la vista hacia él.

Gianni enarcó las cejas y sonrió brevemente.

–Creo que este no es el momento de entrar en una conversación existencialista. Estamos a punto de atracar.

–No –comentó ella. Se puso recta, enderezó los hombros y levantó la barbilla como si se dispusiera a subir los escalones del patíbulo.

Aquella mujer era una mezcla extraña de determinación fiera y vulnerabilidad. Gianni tuvo que contenerse para no tomarla en sus brazos y estrecharla contra sí hasta que perdiera la expresión cautelosa de sus ojos.

–Mejor. Porque hemos llegado –la lancha entró en el muelle.

–¡Gianni! –gritó Teresa–. Me alegro de verte.

Llevaba el pelo negro recogido en una coleta que la hacía parecer demasiado joven para ser esposa y madre. Vestía pantalones blancos cortos, una blusa de algodón roja y sandalias.

Gianni saltó de la lancha y Teresa se echó en sus brazos. La alzó en vilo y la estrechó con fuerza antes de dejarla de nuevo en el suelo.

–La maternidad te sienta bien.

–Tú siempre sabes lo que tienes que decir.

–Es un don –dijo él con un guiño.

Rico se adelantó con la mano extendida.

–Me alegro de tenerte de vuelta. Teresa echaba de menos a su familia.

Gianni notó que vivir en una isla tropical no había conseguido alterar el vestuario de Rico. Seguía vistiendo todo de negro, y allí, en la isla, destacaba como el director de una funeraria en una boda.

–Deberíais venir a verme a Londres. Salir de la isla de vez en cuando.

–¿Y dejar todo esto? –Teresa rio y movió la cabeza–. No, gracias.

Gianni se volvió hacia la lancha, captó la mirada nerviosa de Marie y tendió una mano para ayudarla a bajar. Notó que su hermana guardaba silencio.

Sus ojos se encontraron con los de Marie y él intentó transmitirle tranquilidad. Su familia esperaría cierto grado de nerviosismo, sí. Pero si era demasiado, adivinarían que ocurría algo raro. Ella asintió como si entendiera su preocupación y forzó una sonrisa lo bastante buena para engañar a Teresa, pero no a Gianni. Este, después de pocos días, conocía ya sus expresiones y se sentía fascinado por la totalidad de ella.

–¿Gianni? –la voz de Teresa lo sacó de sus pensamientos y le recordó dónde estaban y lo que hacían.

Apretó la mano de Marie, la atrajo hacia su costado, le pasó un brazo por los hombros y miró a su familia.

–Teresa, quiero presentarte a Marie O´Hara.

Los ojos de su hermana brillaron confundidos.

–Mi prometida.

–¿Qué? ¡Oh, Dios mío! Esto es maravilloso –gritó Teresa. Abrazó fuerte a Marie–. Me alegro muchísimo de conocerte. ¡Oh, vaya, esto es genial! Mi hermano se va a casar –soltó a Marie, y volvió a abrazarse al cuello de Gianni.

Este se sentía culpable por dentro. Y la sensación se intensificó aún más cuando su hermana le susurró al oído:

–Esto me hace muy feliz. Quiero que ames y seas amado como yo. Quiero eso para toda mi familia.

Él volvió a abrazarla para compensar el hecho de que se sentía como un bastardo por mentirle. Y saber que aquel era solo el primer día de la farsa le hacía sentirse peor todavía. Pero ya no quedaba más remedio que seguir hasta el final. Con eso en mente, contestó:

—Me alegro.

Teresa lo soltó sonriendo, se volvió a Marie y la tomó del brazo.

—Esto es maravilloso. ¡Qué sorpresa tan agradable! —tiró de ella hacia el hotel—. Sé que seremos grandes amigas. Y ahora tienes que contarme cómo os conocisteis y dónde y, oh, tenemos que hablar de los planes de boda y…

Marie lanzó una mirada frenética a Gianni por encima del hombro, pero él no podía hacer nada para salvarla. Cuando su hermana se ponía de aquel modo, era imparable.

Además, se dijo que aquello era bueno. A Marie la habían lanzado de cabeza al lado hondo de la piscina y encontraría el modo de aprender a nadar. Cuando Rico y él echaron a andar por fin, ellas estaban ya bastante lejos.

—Tu hermana se preocupa por tu padre, por Paulo y por ti —musitó Rico—. Cree que pasáis demasiado tiempo solos.

Gianni hizo una mueca.

—Solo estamos solos cuando queremos estar.

Rico rio con él.

—Yo también era así, por eso lo entiendo. Pero ella no. Teresa cree que estar solo equivale a sentirse solo. No le gusta pensar que los de su familia se sientan solos.

Solos. Gianni nunca se había sentido solo y sabía que a Paulo le ocurría lo mismo. Vivían la vida en sus propios términos. Tenían mujeres cuando querían y tenían tiempo para sí mismos cuando les apetecía. De hecho, Gianni había evitado siempre tener a la misma mujer cerca más de un par de días seguidos. En su experiencia, ese tipo de intimidad nublaba la mente de una mujer con pensamientos confusos y soñadores de casitas bajas, perros y niños. Y a él no le interesaba todo aquello.

Y sin embargo, no podía por menos de admitir que los últimos días con Marie no le habían molestado en absoluto. De hecho, había disfrutado de sus horas juntos. Frunció el ceño al comprender que todavía no estaba cansado de ella ni le irritaba su conversación. Y ni siquiera se había acostado con ella.

Todavía.

—Te garantizo que, antes de que lleguemos al hotel, Teresa sabrá ya todo lo que hay que saber sobre Marie y tú —dijo Rico.

Gianni frunció el ceño. Detrás de ellos, el piloto de la lancha descargaba el equipaje y lo dejaba en el muelle para que lo transportaran los empleados del hotel.

—Antes de que nos reunamos con ellas, quiero hablar contigo —Rico se detuvo y esperó a que Gianni hiciera lo mismo.

Este lo miró y esperó.

—La exposición de joyería —dijo Rico despacio—. Quiero que me des tu palabra de que los Coretti no... trabajaréis esta semana.

Gianni soltó una risita. Rico tenía derecho a mostrarse receloso. Años atrás, Gianni le había robado una daga azteca de oro de su colección. Curiosamente, había sido esa daga la que había causado el momento revelador que había cambiado la vida de Gianni.

Era comprensible que Rico tuviera dudas cuando hasta él mismo se preguntaba a veces si sería capaz de seguir en el camino recto que había elegido.

–Tienes mi palabra –dijo–. Y hablo también en nombre de papá y de Paulo. Ahora eres familia y los Coretti respetamos a la familia.

Rico asintió.

–Me alegro. No quiero problemas aquí esta semana. Los mejores diseñadores del mundo llevan un año planeando este encuentro y quiero que todo vaya bien.

–En eso estoy contigo –contestó Gianni–. Recuerda que te dije que estoy aquí por encargo de la Interpol. Para vigilar a la multitud y ver si hay algo sospechoso.

Rico echó a andar a lo largo del muelle.

–Mi equipo de seguridad es el mejor del mundo –dijo.

–Son buenos –admitió Gianni–. Pero yo soy mejor.

Rico hizo una mueca.

–Probablemente –miró a su esposa y a Marie, que iban muy por delante–. Prometido, ¿eh? ¿Cómo ha ocurrido eso?

Gianni pensó un momento. Podía mentir, como había sido su intención. Pero miró a la mujer pelirroja y decidió decir la verdad.

–Esa mujer me vuelve loco.

–Fue como un torbellino –Marie tomó un sorbo de café y se riñó mentalmente por haber aceptado aquello. Estaba allí sentada, mintiéndole a una mujer muy agradable y se sentía peor por ello a cada momento que pasaba.

Teresa Coretti King era simpática, acogedora y se alegraba tanto del «compromiso» de su hermano, que Marie no podía evitar sentirse fatal. Pero ya estaba metida en aquello y no había salida. Si decía la verdad, tendría que admitir que había chantajeado a Gianni y amenazado a su padre y estaba bastante segura de que Teresa dejaría de mostrarse amigable si lo hacía, así que guardó silencio y siguió sonriendo y sintiéndose mal.

Miró a su alrededor, la suite del ático del lujoso hotel de Rico. La estancia era increíblemente espaciosa, y a diferencia del piso de Gianni, estaba llena de colores primarios brillantes. Había dos sofás amarillos colocados uno frente al otro con una larga mesita de café en medio. En los sofás había cojines azul zafiro y rojo rubí y cerca había más sillones a juego. Los suelos de tarima de bambú brillaban a la luz del sol, que entraba por las ventanas abiertas, y por las puertas de la terraza entraba un viento tropical que olía a flores.

La vista era increíble. Árboles, playas de arena y arbustos silvestres llenos de flores. Y también el mar, un océano azul profundo que se extendía durante kilómetros con barcos de vela blancos surcando la superficie.

Solo llevaban una hora en la isla y ya habían tomado un almuerzo fantástico en el comedor del hotel y después habían subido allí para que Teresa pudiera llegar a conocer bien a Marie. Y eso la preocupaba. Cuanto más hablara con Teresa, más mentiras tendría que contar. Era un círculo vicioso.

–Me alegro muchísimo por los dos –dijo Teresa. Cambió de posición a Matteo, su hijo de dos meses, al que tenía en los brazos y añadió–: Es todo muy romántico, ¿verdad, Rico?

Rico le quitó al niño y dijo:

–Es muy rápido.

Marie miró a Gianni y vio que se movía incómodo en su silla. Mejor. Se alegraba de no ser la única que lo pasaba mal con aquello.

–No recuerdo que tú te tomaras mucho tiempo con mi hermana –murmuró Gianni.

Rico asintió.

–Cierto.

–No hagáis caso a mi esposo –Teresa hizo una mueca–. Cree que ahora que estamos casados, ya no hay necesidad de romanticismo.

–Yo soy muy romántico contigo y lo sabes –repuso Rico. Se inclinó a besar a su esposa con una sonrisa de picardía–. ¿No estamos viviendo en el hotel mientras destripamos nuestra casa para que tú puedas decorarla como quieras?

Teresa sonrió.

–De acuerdo, sí, eres romántico e indulgente –miró a Marie–. Tenemos una casa adorable justo detrás del hotel. Pero Rico estaba soltero cuando la construyó y ahora que ya tenemos familia –hizo una pausa y miró a su hijo–. Quería que la casa fuera más adecuada para niños. Sean King, primo de Rico, vive también en la isla con su esposa Melinda y ha traído obreros para que lo rehagan casi todo. Por eso vivimos ahora en el hotel.

–A ella no le importan tus remodelaciones –aseguró Gianni a su hermana.

–Pues claro que le importan –argumentó Teresa–. A todas las mujeres nos encanta redecorar.

–Deberías enviar a tu gente a casa de tu hermano cuando terminen aquí –intervino Marie–. No le vendría mal.

–Ahora también eres decoradora –musitó Gianni–. Una mujer del Renacimiento.

–No hay que ser decoradora para saber que las únicas sillas cómodas de tu casa están en la terraza –replicó ella.

Él la miró resoplando y Teresa se echó a reír.

–Es muy divertido ver que una mujer te da lecciones para variar, hermano.

Gianni enarcó una ceja.

–Mi casa cumple su función.

–Ah, sí, y eso es lo que deben hacer todas las casas –murmuró Teresa.

Marie sonrió.

—Nuestra casa también cumplía su función —señaló Rico.

—Exactamente —asintió su esposa.

Marie pensó que hacían muy buena pareja y se preguntó cómo sería saber que había una persona en el mundo que te quería más que a nada. Que te miraba como miraba Rico a Teresa.

—Tengo una idea. Os casaréis aquí en la isla —anunció Teresa.

Marie, sobresaltada por el cambio de tema, miró un instante a Gianni.

—Oh, podemos hacer la boda esta semana —continuó Teresa—. Papá y Paulo estarán aquí, así que sería perfecto —extendió el brazo, tomó una libreta y un boli de la mesita de café y empezó a tomar notas.

Rico se encogió de hombros.

—Tiene papel y bolígrafos por todo el hotel. Si se le ocurre una receta nueva, quiere poder escribirla al instante.

Marie, confusa, miró a Gianni.

—Mi hermana decidió que en lugar de ser ladrona, quería ser chef. Naturalmente, hace maravillas con la comida.

Teresa lo miró un momento. Después se dirigió a Marie.

—¿O sea que conoces lo de la familia Coretti?

—Sí. Sé que son maestros robando joyas.

Teresa hizo un gesto de dolor. Gianni soltó una risita.

–¿Pensabas que no se lo diría?

–Claro que no. Y me alegro de que lo hayas hecho. Empezar un matrimonio con una mentira puede causar muchos problemas, yo lo sé.

–Eso se acabó, Teresa –murmuró Rico con gentileza–. Es pasado y se queda ahí.

–Lo sé –ella le sonrió y miró de nuevo a Marie–. Pero me alegra que lo sepas. Es muy difícil mantener una mentira mucho tiempo.

–Oh, estoy de acuerdo –Marie se hundió un poco en el sofá.

–Volviendo a la boda –Teresa seguía anotando ideas mientras hablaba–. Marie, Rico puede traer a tu familia en avión para la ceremonia y Gianni y tú podríais pasar aquí la luna de miel y nosotros nos ocuparíamos de todo, ¿verdad, Rico?

–Verdad –dijo su esposo.

–Hacemos cosas maravillosas en Tesoro –aseguró Teresa–. En el pueblo hay una tienda estupenda y seguro que tiene algo que te guste. O podemos ir a St. Thomas de compras. Yo haré personalmente la tarta de boda. No me fiaría de nadie más para una tarea tan importante.

A Marie no se le ocurría nada que decir. Empezaba a sentir pánico. «Esto no está pasando».

–Teresa –dijo su esposo con suavidad.

–Vamos –contestó ella–. Es perfecto y lo sabes. ¿Qué mejor lugar que Tesoro para una boda? Es hermosa, todo está en flor…

–Basta –dijo Gianni, interrumpiéndola–. Ya basta, Teresa. No nos vamos a casar esta semana.

Marie suspiró aliviada. Había tenido miedo de que él callara y le tocara a ella ahogar los planes.

Entró una doncella del hotel con un biberón en la mano. Se lo tendió a Teresa sonriente y se marchó tan silenciosamente como había llegado.

–Pásamelo, Rico. Se lo daré yo –dijo Teresa.

–Por favor –intervino Gianni–. Si está ocupada con su hijo, quizá deje en paz a su hermano.

–Puedo hacer ambas cosas –Teresa tomó a su hijo en brazos y le sonrió.

Marie la miró con una punzada de envidia. El niño tenía el pelo negro de su madre y los ojos azules brillantes de su padre.

Los tres formaban una familia hermosa y Marie se sentía más ajena a todo eso a cada momento que pasaba. Gianni también les mentía, pero él sí encajaba allí. Era pariente de Teresa. Ella, Marie, era solo una mancha temporal en el radar de la familia Coretti. Cuando regresara a Nueva York, se olvidarían de ella.

Gianni volvería a su vida, con una mujer diferente cada semana. Teresa seguiría esperando que sus hermanos encontraran el amor y se asentaran. Y aquel bebé crecería y nunca sabría que ella había estado allí.

Y ella volvería a Nueva York. Y como no era tan ingenua como para pensar que la junta directiva del Wainwright le devolvería su puesto, estaría en casa desempleada. No podría volver al cuerpo de policía, pues había quemado ese puente al marcharse para ser jefa de seguridad privada. Buscaría trabajo y recordaría una semana de ropa de diseño e islas tropicales como un sueño confuso.

–Explícame por qué no te quieres casar esta semana –pidió Teresa a su hermano–. Marie ha dicho que vuestro compromiso ha sido como un torbellino. ¿Por qué no también la boda?

–Esta semana estoy trabajando, ¿recuerdas? –Gianni movió la cabeza–. Estoy aquí con la Interpol. Y también para el bautizo de mi sobrino. ¿No es suficiente con eso para una semana?

–Supongo –musitó Teresa, decepcionada–. Pero…

–No sigas, Teresa –le dijo Gianni–. Ahora tienes un marido y un hijo. Moléstalos a ellos.

Rico se echó a reír cuando su esposa lo miró sintiéndose insultada y seguía sonriendo cuando se inclinó a besarla en la boca.

–Ahí te ha pillado, amor mío. Vamos, déjalo en paz.

Teresa miró a Marie.

–Te deseo mucha suerte con mi hermano. Es muy terco.

–Muy amable –Gianni apuró su vaso de whisky, lo dejó en la mesa y tomó la mano de Marie–. ¿Cuánta gente asistirá a la muestra de joyas?

Rico lo miró pensativo.

–Hay unas cuantas docenas de diseñadores y joyeros, prensa y algunos invitados cuidadosamente seleccionados.

–¿Seleccionados? –preguntó Marie.

Gianni le apretó la mano.

–Para descartar posibles ladrones –dijo.

–Ah, por supuesto.

–Una exposición de joyas de esta magnitud atraerá la atención de todos los ladrones del mundo, tengan o no habilidad para robar aquí –miró a Marie y ella respiró hondo.

Estaba hablando de Jean Luc. ¿Había alguna posibilidad de que se presentara allí? El corazón le dio un vuelco. La idea de cazarlo le atraía mucho.

Hasta que se dio cuenta de que, si aparecía Jean Luc, ella tendría que esconderse porque la reconocería. Y si la veía con Gianni Coretti, recelaría lo suficiente para salir huyendo.

–¿Hay alguien en particular sobre el que deba advertir a mi personal de seguridad? –preguntó Rico.

–Jean Luc Baptiste.

Teresa levantó la cabeza y miró a su hermano.

–¿Jean Luc? –arrugó la nariz con disgusto–. No se atrevería a intentar nada en Tesoro. No es lo bastante bueno.

Marie ocultó una sonrisa. Teresa podía no estar en el negocio familiar, pero tenía la sensibilidad de un ladrón. La mera idea de que Jean Luc intentara robarle algo a su esposo le parecía un insulto.

–Jean Luc no tiene la habilidad necesaria –dijo Gianni–, pero tiene ego más que suficiente para compensar esa falta. Está tan seguro de sí mismo y es tan chulo que quizá crea que puede hacerlo.

–¿Quién es ese hombre?

Gianni miró a Rico.

–Es un ladrón arrogante y no muy hábil con delirios de grandeza. Se cree mucho mejor de lo que es.

A Marie le pareció una descripción excelente de Jean Luc. Por supuesto, también era atractivo, encantador y lo bastante ladino para haber pasado el radar interno de ella.

Rico había empezado a andar por la sala.

–Si no es lo bastante bueno, ¿por qué se va a arriesgar a venir aquí cuando sabe que habrá tanta seguridad que jamás le permitiremos entrar en la isla?

–En primer lugar –dijo Gianni–, no usará su verdadero nombre. Y probablemente no reservará habitación en tu hotel sino en algún otro más pequeño y con menos seguridad.

Marie lo miró. Entendía que la Interpol hubiera hecho un trato con él. El conocimiento de un ladrón de primera podía ser invaluable.

Rico parecía preocupado.

–Sigue sin tener sentido. Si no es lo bastante bueno…

–Su arrogancia hará que esta exposición sea irresistible para él –Gianni se echó hacia delante en el sofá, todavía con la mano de Marie en la suya. Le acarició la palma con el pulgar y ella tuvo que esforzarse por concentrarse en la conversación–. Se dirá a sí mismo que, si puede lograr robar aquí, eso establecerá su reputación.

–Dame una descripción de él para dársela a mi gente.

–Yo te lo puedo describir –intervino Teresa.

–Muy bien –Gianni se levantó y tiró de Marie–. Ahora vamos a relajarnos en nuestra suite y a refrescarnos. Nos veremos en la cena, ¿de acuerdo?

–Está bien, está bien –Teresa rio–. Adelante. Seguro que el equipaje está ya en la suite. Es la misma de tu última visita, ¿la recuerdas?

–Sí –Gianni se inclinó y le dio un beso a su hermana sin soltar la mano de Marie–. No te preocupes por Jean Luc. Entre tu esposo, su equipo de seguridad y yo, no podrá llevarse nada.

–Lo sé –ella sonrió.

–De acuerdo –Gianni se enderezó–. Nos vemos luego.

Cuando salieron de la suite, miró a Marie y dijo:

–Ha ido bien.

Capítulo Ocho

Entraron en su suite, deshicieron el equipaje y, en menos de quince minutos, Gianni sacó a Marie del hotel, alejándola de la cama gigante para no ceder a la tentación.

–Este lugar es increíble –comentó Marie, cuando paseaban por los jardines del hotel.

Gianni entendía lo que quería decir. Él había sentido lo mismo la primera vez que había ido allí un año atrás.

Rico había construido una especie de Disneylandia para adultos. Había incontables piscinas, spas privados y vistas espectaculares del océano desde todas las habitaciones. Era un hotel relativamente pequeño, para que siguiera siendo exclusivo. Solo tenía ciento cincuenta habitaciones. Sin contar los bungalós privados escondidos entre los bosquecillos que había esparcidos por los jardines.

Las habitaciones eran decadentes, el servicio impecable y, para los que podían permitírselo, King´s Castle era una fantasía hecha realidad.

Los omnipresentes vientos de la isla mantenían los insectos al mínimo y transportaban el aroma de flores tropicales. El océano estaba a solo unos pasos y en el interior de la isla había bosques llenos de higueras de Bengala que parecían sacadas de cuentos de hadas y transportadas a la isla para crear ambiente.

–Es impresionante –asintió Gianni.

Marie lo miró.

–¿Lo que has dicho antes de Jean Luc iba en serio? ¿De verdad crees que vendrá aquí?

Gianni frunció el ceño y miró la zona de las piscinas. Había mujeres adorables echadas en tumbonas de colores, un par de personas nadando en el agua y algunos camareros moviéndose entre los caminos de baldosas sirviendo bebidas heladas.

Aquel era el tipo de atmósfera que prefería un hombre como Jean Luc. Solo se había hecho ladrón de joyas para satisfacer su hambre por las cosas buenas de la vida. La familia Coretti trataba su oficio como el trabajo que era. Le dedicaban concentración, práctica y respeto. Jean Luc, sin embargo, lo trataba como un juego. Un juego que estaba decidido a ganar. A Jean Luc lo empujaba a correr lo que Gianni consideraba riesgos innecesarios. A intentar, por ego, trabajos que no era capaz de completar.

–Sí –comentó–. Lo creo.

–Si viene aquí, no traerá el Contessa consigo.

Gianni la miró.

–No. Lo dejará en casa. No hay necesidad de acarrear trofeos viejos cuando estás pensando robar otros nuevos.

–O sea que todavía tendremos que ir a Mónaco a por el collar.

–Después de la exposición, sí.

Marie asintió.

–Pero si lo atrapamos aquí, eso lo haría todo mucho más fácil, ¿no?

–¿Atrapamos? –preguntó él.

Ella alzó la barbilla y lo miró a los ojos.

–Recuerda que he sido policía. Y también experta en seguridad. Puedo ayudar.

–Y yo he sido ladrón –le recordó él–. Y creo que mi experiencia será útil esta semana. Los empleados de seguridad de Rico son los mejores del mundo.

–Eso no significa que dos ojos más no puedan ayudar –argumentó ella–. Así que, en vez de enseñarme las piscinas, ¿qué tal si me muestras dónde va a ser la exposición de joyas?

Él ya conocía la expresión que veía en ella en ese momento. Una mezcla fiera de determinación y terquedad. Y sabía también que, si no le mostraba el salón de la exposición, ella lo encontraría sola. Era mejor tenerla a su lado.

Sacó el móvil y marcó el número de Rico.

–Voy a preguntar dónde la hacen.

–Bien –el rostro de ella se iluminó y una hermosa sonrisa le curvó los labios. Gianni sintió un tirón en la entrepierna.

–Rico –dijo–. Queremos examinar el salón de la exposición.

–Le diré a Franklin Hicks que vas para allá. Es mi jefe de seguridad. Es fácil reconocerlo. Treinta y cinco años, un metro noventa y tiene la cabeza afeitada y penetrantes ojos azules.

–Suena peligroso.

–Lo es –Rico soltó una risita–. No pasa por alto muchas cosas. Pero seguro que recibirá bien las ideas de un hombre como tú.

–Quieres decir un ladrón.

–Quiero decir un ladrón muy bueno. Teresa me ha dado una descripción del tal Jean Luc y la estamos circulando entre los hombres. La dejaremos en la oficina principal de seguridad.

–Eso está bien –contestó Gianni–. ¿Puedes enviar la descripción al otro hotel de la isla?

–Ya lo he hecho.

–¿Descripción? –preguntó Marie–. ¿De Jean Luc? –movió la cabeza–. ¿No habéis oído hablar de los disfraces?

Gianni hizo una mueca.

–Sí, Marie acaba de recordarme que Jean Luc puede aparecer disfrazado.

–Perfecto –contestó Rico–. De todos modos, haremos lo que podamos para detenerlo.

–Todos lo haremos.

–De acuerdo. Le diré a Franklin que vais para allá.

–Gracias.

Cuando Gianni colgó el teléfono, se encogió de hombros.

–Parece que han despejado el comedor principal para usarlo en la exposición. Podemos ir a verlo ahora.

Marie sonrió.

–Estupendo. Vamos.

El comedor había sido transformado.

Gianni lo recordaba como un espacio elegante con iluminación suave, ventanales que ofrecían una vista magnífica del océano y camareros tan eficientes como discretos. Normalmente había docenas de mesas pequeñas redondas, cada una con un jarrón de flores tropicales en el centro.

Pero ese día el comedor mostraba varias mesas largas antiguas, cubiertas de terciopelo rojo, con lo que conseguían una atmósfera de opulencia del viejo mundo. Las luces eran suaves, pero arrancaban brillos a los suelos dorados de bambú. Había sillones colocados detrás de biombos, donde los diseñadores podían pasar a los clientes que quisieran examinar más detenidamente algunas joyas.

En un extremo de la habitación había una zona de conversación, con sofás rojos y sillones instalados alrededor de mesas de bambú y cristal, donde los diseñadores podrían hablar cómodamente con los clientes. La belleza por la que era conocido el hotel resultaba evidente desde en el barniz brillante del suelo hasta en los candelabros de bronce de las paredes o en la vista abierta e ininterrumpida del océano a través de la pared de cristal.

–¿Crees que las paredes de cristal y las ventanas tienen alarmas? –preguntó Marie.

–Conociendo a Rico, seguro que sí. Deja muy poco al azar.

Y Gianni podía ver que había mucha seguridad, con cámaras discretas por todas partes. En un momento contó al menos doce, cada una ofreciendo distintos ángulos.

–Cuento doce ojos abiertos –dijo Marie.

–Estoy de acuerdo –Gianni señaló un rincón lejano–. Y sin duda hay muchos más menos obvios. Por ejemplo, creo que veo una cámara oculta en aquella maceta de hibisco.

–Muy buena esa –ella sonrió–. Y la que se asoma detrás del cuadro enmarcado de la pared sur, también.

Gianni le sonrió. Nunca había conocido a una mujer como ella.

–¿Puedes ver algún punto que hayan pasado por alto? –preguntó.

–Es difícil saberlo a menos que entres en el despacho de seguridad y veas las tomas de las cámaras –repuso ella–. Siempre es difícil alinear cámaras de modo que los ángulos que cubran se sobrepongan sin dejar puntos ciegos. Pero supongo que no han pasado mucho por alto.

–Probablemente no. Pero siempre hay agujeros. La seguridad perfecta no existe. Como tú has dicho, los ángulos de las cámaras solo se extienden hasta un punto y un buen ladrón no necesita mucho margen.

–Cierto –ella lo miró–. Tú eras un buen ladrón, ¿verdad?

Él sonrió.

–Un ladrón de joyas maestro.

–Bien, maestro. Si tú fueras a robar este lugar, ¿cómo lo harías?

Una inyección familiar de adrenalina le recorrió las venas a Gianni en cuanto dejó volar su imaginación. Miró la pared de cristal y las mesas cercanas. Las ventanas a cada lado de la estancia y el techo. Siempre había un modo.

–Hay muchas posibilidades –murmuró.

–Lo echas de menos.

Él la miró sorprendido.

–Supongo que sí –musitó–. La emoción de burlar sistemas de seguridad. El reto de planear el plan de ataque perfecto. Colarse en una casa o en una empresa y volver a salir sin que se enteren. Caminar por el borde de un tejado en una noche tan oscura que no puedes ver tu mano extendida y tienes que confiar en tu instinto para no matarte –sonrió–. Es un mundo que poca gente conoce.

–Hablas como si solo se tratara de la planificación y el trabajo –musitó ella–. Entonces, ¿no era el robo lo que te atraía? Me refiero a los objetos que robabas.

Gianni tendió la mano y le colocó un mechón de pelo detrás de la oreja, dejando que sus dedos le rozaran la piel en una breve caricia. Aquel contacto le quemó la piel como si hubiera tocado un cable eléctrico pelado.

–Mentiría si dijera eso y creo que tú lo sabes.

Marie asintió y guardó silencio.

Gianni se dio cuenta de que quería que ella entendiera aquello desde su punto de vista.

–Un ladrón no entra en lugares protegidos solo por el placer de poder hacerlo –dijo–. Tiene que haber una recompensa al final del trabajo, por supuesto.

Le tomó la mano izquierda y le pasó el pulgar por el anillo que llevaba. Uno de sus trofeos.

–No sé bien cómo explicarte lo que es eso, Marie. Nadie puede conocerlo a menos que lo haya vivido.

–Inténtalo –susurró ella, apretándole el dedo.

Gianni miró sus hermosos ojos verdes y dijo con suavidad:

–Este anillo por ejemplo. Abrí la caja fuerte armado solo con una linterna de bolsillo.

–¿También abres cajas fuertes? –preguntó ella.

–Todos los Coretti aprendemos los trucos del oficio desde una edad temprana. Abrir cerraduras, cajas fuertes, robar carteras…

–¿De verdad?

–Si quieres vivir como un ladrón y no como un preso, tienes que tener dedos ágiles e inteligentes –él se encogió de hombros–. Todo el mundo estaba abajo en la fiesta. El segundo piso estaba vacío y el despacho en el que se encontraba la caja fuerte estaba oscuro, salvo por unos hilos de luna que asomaban a veces entre las nubes. Yo me daba prisa porque siempre es mejor no perder tiempo.

–Me lo imagino –comentó ella.

Él sonrió.

–No puedes ir muy deprisa o te vuelves torpe. Ni muy despacio o te pillarán. Bien, pues abrí la caja fuerte, metí la mano en ella y saqué una bolsa de terciopelo negro. Sabía lo que encontraría dentro porque Paulo y yo llevábamos meses vigilando la casa. Sabíamos dónde guardaban las joyas, cuáles estaban en qué caja fuerte...

–¿Había más de una?

–Sí. Pero incluso sabiendo lo que iba a encontrar, tenía que mirar –se encogió de hombros–. Paulo y yo habíamos dedicado mucho esfuerzo a aquel trabajo y yo quería ver el tesoro al final del arco iris. Vacié el contenido en mi mano y un rayo de luna cayó sobre los diamantes y les dio vida.

Ella lo miraba a los ojos mientras él recordaba un trozo de su vida que no había compartido con nadie más.

–Había un collar con setenta y siete diamantes engarzados en platino y este anillo –frotó el dedo de ella con gentileza–. Encerrados en la oscuridad, como si estuvieran condenados al olvido. Cuando cayeron de la bolsa y la luz de la luna brilló sobre ellos, fue como si suspiraran y me dieran las gracias por haberlos rescatado. Los diamantes están hechos para brillar, para estar a la luz, para ser llevados, admirados y envidiados.

Sonrió.

–Cuando vi la luz de la luna sobre esas piedras, fue pura magia. Como si viera que algo frío, olvidado y muerto volvía a cobrar vida.

–Y conservaste el anillo para que te recordara aquel momento –comentó ella.

–Sí. Y para dárselo a mi hermosa prometida.

Ella movió los labios como si reprimiera una sonrisa.

—¿Y el collar? —preguntó Marie.

—Ah —Gianni le soltó la mano—. Paulo y yo lo vendimos por una fortuna.

—No te arrepientes en absoluto, ¿verdad?

—¿De ser un ladrón? —preguntó él—. No. Era muy bueno en lo que hacía. Trabajé en ello durante años y nunca hice daño a nadie, solo a las compañías de seguros —sonrió—. No me arrepentiré de ser quien soy, de venir de donde vengo ni de las decisiones que tomé. ¿De qué serviría? El pasado es pasado, arrepentirse no cambia nada.

—Pero...

—No confundas mi nuevo camino con vergüenza por el pasado —Gianni le puso una mano en la nuca y se inclinó hacia ella—. Soy un Coretti y nunca me avergonzaré de mi familia ni de mi tradición. Cómo elijo vivir mi vida no tiene nada que ver con el pasado, más allá de un breve momento de revelación que me encaminó en una dirección nueva. En mi corazón soy un ladrón, Marie.

Ella negó con la cabeza.

—No es verdad. En tu corazón eres mucho más que eso.

—No te engañes a ti misma —le advirtió él, aunque le encantaba el calor que leía en sus ojos. Ella lo miraba y veía al hombre, no al ladrón, y eso le gustaba. Pero no podía dejarle creer que ya no existía el ladrón dentro del hombre. Gianni siempre sentiría aquel impulso cuando viera diamantes, cuando viera la oportunidad de un trabajo que lo seducía. Ese deseo siempre sería parte de él.

–No creas que soy más de lo que ves –dijo con suavidad–. Soy el hombre cuyo apartamento allanaste. El hombre al que despreciabas.

–Yo no te despreciaba.

Él le puso una mano en la mejilla.

–Sí lo hacías. Y no importa. Seguramente sería mejor que te centraras en ese sentimiento. Te ayudaría a recordar que este compromiso nuestro no es nada más que una farsa.

Ella cubrió la mano de él con la suya.

–No soy yo la que tiene problemas en recordar eso, Gianni.

La verdad de aquella declaración lo sobresaltó lo suficiente como para soltarla y dar un paso atrás.

–¿Señor Coretti?

Agradecido por la interrupción, Gianni alzó la vista y vio que se acercaba un hombre alto con la cabeza rapada y ojos azules. Sin duda era el jefe de seguridad y Gianni felicitó interiormente a su cuñado. Como ladrón profesional, sabía reconocer el peligro de aquel hombre. Sería un enemigo formidable.

–Sí. ¿Franklin Hicks?

–El mismo –el hombre miró a Marie–. Señorita O´Hara. El señor King me ha pedido que les enseñe el sistema de seguridad de la exposición y conteste a cualquier pregunta que tengan.

A Gianni no le gustó cómo miraba el gigante

calvo a Marie. En sus ojos había un brillo que era pura valoración masculina y que hacía que Gianni quisiera colocarla detrás de sí y protegerla de esa mirada.

–Gracias –musitó ella.

Hicks echó a andar por la estancia y Gianni cerró la marcha detrás de los otros dos. Y, por supuesto, posó la mirada en el trasero de Marie.

–La cama es lo bastante ancha para los dos –Gianni se tumbó en el colchón y abrió los brazos como para darle la bienvenida.

Marie respiró hondo y se dijo que no quería ceder a la tentación. En absoluto. Lo que ocurría era que llevaba días sin dormir y por eso la cama le parecía tan deseable.

Miró las puertas de cristal que se abrían a un patio desde donde se veía el mar. El suelo de bambú brillaba a la luz del sol y quedaba suavizado por alfombras de colores terrosos esparcidas por la habitación. Había una zona de estar enfrente de una chimenea de gas y un cubo de plata con champán sobre una mesita entre dos sillones a juego. Al lado de la pared del cristal, un diván de color melocotón ofrecía un punto para acurrucarse y ver el mar.

Había un cuarto de baño al lado con una bañera lo bastante grande como para que cupieran cuatro personas cómodamente y una zona de ducha que estaba abierta a la habitación y tenía seis chorros. Pero Marie tenía que admitir que la estrella del espectáculo era la cama.

Era gigante, cubierta con un edredón verde y con muchos cojines amontonados contra el cabecero de color miel. Y el hombre encima de ella resultaba irresistible. El pelo moreno de Gianni parecía tan negro como la noche contra el blanco inmaculado de las almohadas. Su sonrisa era muy seductora y a ella le costaba mucho esfuerzo resistir el impulso de lanzarse sobre su pecho.

—No vamos a compartir esa cama —dijo con firmeza. Y se preguntó si intentaba convencerlo a él o a sí misma.

—Depende de ti —contestó él—. Pero no creo que estés muy cómoda en ese diván.

Marie parpadeó.

—Si fueras un caballero, dormirías tú en el diván.

—Ah, pero no soy un caballero, ¿verdad? Soy un ladrón.

—¿Y me vas a dejar dormir ahí? —preguntó ella.

—Te he invitado a compartir la cama —señaló él.

Marie apretó los dientes. Él disfrutaba.

—Después de todo, estamos prometidos —añadió Gianni, con una voz que era ya un ronroneo seductor.

Marie respiró hondo. No ayudaba mucho contra el deseo caliente que sentía en su interior, pero era lo único que podía hacer.

—Fuiste tú el que me advirtió de que no olvidara que esto es una farsa, Gianni —dijo.

Él se puso serio.

–Tienes razón, lo hice. En ese caso, mantén las distancias. Porque si compartes la cama conmigo, te prometo que no será para dormir.

Dos días después, Marie tomaba el sol y sentía el viento acariciarle la piel. La vista del océano le calmaba los nervios y la intimidad era como un bálsamo. Era un regalo estar en la piscina privada de Teresa y Rico, encima del hotel. Allí podía bajar un poco la guardia. Seguía teniendo que hacerse pasar por la prometida de Gianni con Teresa, pero al menos sentía un respiro en la continua descarga de sensaciones que tenía que combatir cuando estaba con Gianni.

No había dormido ni una noche completa desde que empezara aquella aventura. Y la situación se había vuelto más difícil desde que habían llegado a Tesoro y empezado a compartir la suite.

Movió la cabeza y se dijo que debía ser fuerte. Podía hacerlo. Esa noche era el primer evento de la muestra de joyería. Diseñadores y clientes se reunirían para tomar cócteles y oír música durante la gran inauguración. Tres días después asistirían al bautizo del niño y, cuando terminara la muestra, Gianni y ella se marcharían a Mónaco a buscar a Jean Luc y el Contessa. Entonces terminaría todo aquello y ella podría volver a su vida aburrida.

–¿Qué es lo que pasa entre Gianni y tú?

Marie miró a Teresa sobresaltada. Estaban sentadas al lado de la piscina, compartiendo canapés y una bebida fría con sabor a melocotón. El bebé dormía dentro y estaban solas en la terraza.

–¿A qué te refieres?

Teresa soltó una risita y se subió las gafas de sol para mirarla.

–Oh, vamos. Sé que ocurre algo. Nunca he visto a Gianni tan nervioso. Para ser un hombre enamorado, parece un alma torturada cuando está a tu lado.

–¿En serio?

Teresa sonrió.

–Y tú también. ¿Qué es lo que ocurre?

Buena pregunta. Saber que Teresa recelaba algo anuló de golpe la presión que sentía Marie de mantener la farsa. Tal vez no debería decir nada, pero no pudo resistir la oportunidad de hablar con alguien de todo aquello.

Pensó en ello diez segundos y tomó la decisión de hablar. Mientras lo hacía, miraba las expresiones que cruzaban por el rostro de Teresa. Estas pasaron de la sorpresa al miedo, al regocijo y de nuevo al miedo, pero Marie siguió hablando.

–¿Tienes pruebas contra mi padre? –preguntó Teresa cuando terminó.

Marie se sonrojó.

–Sí. Pero no quiero usarlas.

Al oírse decir eso en voz alta, supo que era cierto. No quería hacer daño a la familia Coretti. No quería entregar a un hombre mayor a la policía para que pasara el resto de su vida en la cárcel. Ya no era policía, no se lo debía a la sociedad. Pero al mismo tiempo, quería y necesitaba poder devolverle el collar a Abigail Wainwright. Por su sentido del deber y de la justicia.

—¿Pero chantajeaste a Gianni con eso?

—No tenía elección. Él jamás me habría ayudado si no.

—Sí, lo entiendo —Teresa respiró hondo—. Pero papá...

Marie intentó explicárselo.

—El robo en Nueva York fue culpa mía. Bajé la guardia y Jean Luc aprovechó para robarle a una anciana encantadora que no se lo merecía.

Teresa frunció el ceño.

—No, no se lo merecía. Y hasta puedo entender que Jean Luc te engatusara si no lo conocías —frunció el ceño—. No voy a decir que me guste que amenaces a mi padre, pero comprendo el sentido del honor que te impulsa.

—Gracias —musitó Marie, aliviada. Le gustaban aquellas personas. Sentía envidia de la vida de Teresa, no por su dinero, sino por el esposo cariñoso y el adorable bebé. Por tener bien definido su lugar en el mundo y estar con la gente a la que amaba.

Marie no había tenido eso en mucho tiempo.

—Creo también que no quieres meter a mi padre en la cárcel, sino que has usado eso para conseguir lo que necesitabas.

—Exactamente. Y la verdad es que cuanto más conozco a Gianni y a los demás, menos me interesa ver a tu padre entre rejas. Pero no puedo parar ahora. Tengo que llevar esto hasta el final y, si le entregara las pruebas a Gianni, ¿por qué me iba a ayudar?

–Puede que te sorprendiera –repuso Teresa, pensativa–. ¿Pero qué pasará cuando encontréis a Jean Luc y recuperes la propiedad robada? ¿Qué pasará entre Gianni y tú?

–Volveremos a nuestras vidas –repuso Marie.

–¿Así de fácil? –Teresa movió la cabeza y le tomó una mano entre las suyas–. Me parece que no. Independientemente de cómo empezara esto, ahora hay más entre los dos de lo que ninguno estáis dispuestos a reconocer.

–Te equivocas –insistió Marie, aunque la chispa de deseo y calor seguía palpitando dentro de ella con la misma fuerza que en los últimos días.

–No estoy de acuerdo. Déjame contarte una historia –dijo Teresa, sin soltarle la mano–. Trata de Rico y de mí y de errores cometidos.

Marie la escuchó y le sorprendió que Rico y Teresa hubieran podido aclarar las cosas y construir un matrimonio y una familia fuertes. Su vida juntos había empezado con una mentira, pero habían encontrado el modo de superar eso.

–Sé lo que es tener una opinión tan alta del honor que pierdes de vista todo lo demás –dijo Teresa–. Para proteger a mi padre y a mis hermanos, renuncié a Rico y lo eché de menos durante cinco años. Me moría sin él. Y cuando por fin volvimos a reunirnos, el honor de mi familia estuvo a punto de separarnos una vez más –apretó la mano de Marie.

–La diferencia es que Rico y tú os amabais a pesar de todo –comentó esta.

–Y tú amas a mi hermano.

–¿Qué?

Marie soltó su mano y negó con la cabeza. Las palabras de Teresa fueron como una bofetada, pero ella no podía analizarlas. No podía examinar de cerca lo que llevaba días sintiendo.

–Te equivocas –dijo–. Apenas lo conozco. Y desde luego, no estoy enamorada de él.

–¿Crees que no reconozco los síntomas? –Teresa sonrió comprensiva–. Lo miras siempre que entra en una habitación. Tiemblas cuando te toca y te irrita tan fácilmente que ahí debe haber amor. Solo las personas que queremos pueden afectarnos de ese modo.

–Apreciar es una cosa –comentó Marie–. Y amar es otra. Esto no es amor –musitó–. Lujuria quizá sí, pero amor no.

La otra sonrió y Marie pensó que todos los Coretti podían ser un poco irritantes.

–Conozco a mi hermano –dijo Teresa–. Es muy protector con nuestra familia. A pesar del chantaje, jamás te habría traído aquí a la isla si no sintiera...

–Estáis ahí –dijo Gianni en aquel momento.

Y Marie se quedó sin oír el resto de la frase. «¿Qué?», gritó para sus adentros. «¿Si no sintiera qué?».

Capítulo Nueve

Rico salió de detrás de Gianni. Este miró a Marie y ella sintió el calor de su mirada por todo el cuerpo. Llevaba un biquini nuevo, comprado en Londres, y sabía que la escasa prenda verde lima le sentaba muy bien.

Gianni la miró unos segundos más, hasta que Teresa soltó una risita. Ese sonido lo sacó del trance en el que parecía estar. Miró a Marie a los ojos.

–Hemos encontrado a Jean Luc –dijo–. Está en la isla.

Media hora después, estaban en su suite.

–Yo tengo que estar allí. Puedo ayudarte a buscarlo –dijo Marie.

Él se pasó una mano por el pelo. Le era muy difícil concentrarse en la discusión con ella allí en biquini.

–Jean Luc se hospeda en el hotel más viejo de la isla. Un hotel propiedad del abuelo de la esposa de Sean, primo de Rico. Pero también ha estado aquí. Los de seguridad lo han visto en los jardines y vamos a intentar pescarlo esta noche.

–Si todavía no ha robado nada, ¿cómo lo vais a capturar?

–Es lo mismo que hacen en los casinos cuando

ven a un ladrón conocido. Todavía no ha hecho nada en su local, pero su reputación basta para expulsarlo del sitio.

–Muy bien, pues expulsadlo del hotel y de la isla.

–Exactamente –asintió él–. Es una isla privada, pueden echarlo si quieren.

–Pero antes tendréis que pillarlo y yo puedo ayudar con eso –replicó ella con los brazos en jarras.

Gianni intentó concentrarse en el problema que tenía entre manos en lugar de en el cuerpo de ella. Estaba cazado en su propia trampa. Todo aquello había sido idea suya. Fingir el compromiso y hospedarse juntos, donde la idea de ella durmiendo en un diván a pocos metros de él lo volvía un poco más loco cada día.

Ella suspiraba y él la deseaba. Se reía y él la deseaba. Lo besaba y prendía fuego en todos los rincones vacíos de su interior.

–¿Y si te ve él antes? No es tan estúpido como para creer que tu presencia aquí es una coincidencia. Si te ve aquí, saldrá corriendo sin intentar robar nada. Y si hace eso, tal vez incluso cierre su casa en Mónaco y desaparezca. ¿Y cómo recuperaremos entonces tu collar?

En realidad, Gianni no creía lo que decía.

Las puertas del patio estaban abiertas detrás de ella, dejando entrar el sol y el viento. Ella estaba iluminada desde atrás y había un halo de luz dorada en torno a su cuerpo. Gianni pensaba que era una mujer de ensueño. Su piel era suave y sedosa y el pelo le caía alrededor de la cara en una cascada de rizos sueltos y ondas. Todo en ella era tentador. Hasta las chispas de furia de sus ojos y el modo en que alzaba desafiante la barbilla.

Ella apretó los dientes, se cruzó de brazos y elevó inconscientemente los pechos hasta que amenazaron con escaparse del pequeño triángulo de tela. Gianni ansiaba tocarla. Apretó los puños a los costados para no ceder a ese anhelo.

–Muy bien. Esta vez ganas tú. No iré contigo a la muestra de joyería. ¿Ahora tengo que interpretar a una damisela en apuros y quedarme encerrada mientras los hombres grandes y fuertes se ocupan de todo?

–Muchas gracias por lo de fuerte.

Ella lo miró un momento. Se echó a reír.

–Eres increíble.

–Eso me han dicho. Más de una vez.

Marie se apartó el pelo de la cara y entró en el cuarto de baño. Cuando salió, llevaba un albornoz grueso blanco y Gianni no supo si darle las gracias o pedirle que se lo quitara.

–Si atrapamos a Jean Luc, podemos obligarlo a darte el collar.

–¿Cómo?

–Yo puedo ser muy persuasivo –le aseguró él–. Sorprenderlo vigilando en los alrededores de una muestra de joyería tan exclusiva no será bueno para él. La amenaza de alertar a la Interpol puede ser suficiente para lograr lo que queremos.

–¿Tú crees?

–Sí. Jean Luc no ha sido tan cauteloso en el pasado como la familia Coretti. Tiene antecedentes y no querrá que la policía hable con él. Cuando Rico y yo nos hemos reunido con mi hermana y contigo en la piscina, he tenido la impresión de que interrumpíamos algo.

–No –ella se volvió y salió a la terraza.

Gianni no la creyó. La siguió, disfrutando del calor del sol y del beso fresco del viento, por no hablar de la vista de ella apoyada en la barandilla de hierro con el viento creando un halo oscuro con el cabello alrededor de su cabeza.

–Tenías razón, ¿sabes? –dijo él.

Ella lo miró.

–¿En qué?

–Cuando nos conocimos dijiste que no eras buena mentirosa y no lo eres –se reunió con ella en la barandilla–. ¿De qué hablabais Teresa y tú?

–De verdades –repuso ella–. Le he dicho que no estamos prometidos.

–¿Le has dicho que me hiciste chantaje?

–Sí –Marie suspiró–. Tu hermana es tan amable que me sentía odiosa mintiéndole.

Él movió la cabeza.

–Lo comprendo. Pero Teresa se lo dirá a Paulo y a nuestro padre.

–¿Y qué? –preguntó ella–. Ya no importa, ¿verdad? Seguiré siendo tu tapadera para tu trabajo con la Interpol, aunque no sé cómo va a funcionar eso si no me dejas asistir a la muestra.

–Eso cambiará en cuanto atrapemos a Jean Luc.

–Si lo atrapáis.

–Eso déjalo de mi cuenta. Pero no has debido decírselo a Teresa. Yo no quería que la familia supiera que había una amenaza contra papá.

–Tu hermana es bastante implacable. Sabía que había algo raro y no dejaba de preguntar.

Gianni miró el océano que se extendía ante ellos. Barcos de vela surcaban la superficie del agua y cuerpos bronceados tendidos en toallas cubrían la arena.

–La verdad –murmuró, más para sí mismo que para ella– está muy sobrevalorada.

Ella rio un momento.

–Un ladrón tiene que pensar así.

Él la miró. Esperó a que ella le devolviera la mirada.

–Exladrón –susurró.

Ella sonrió.

–Cierto. Se me olvida–se volvió y apoyó la cadera en la barandilla–. Pues ahí va otra verdad. Ahora que tu familia sabe lo nuestro, no tenemos que compartir esta suite. Podemos tener habitaciones separadas.

–Oh, ¿no te lo he dicho? –él tendió la mano y empujó el borde del albornoz por los hombros hasta que la parte superior de los pechos le quedó al descubierto. Ella no se movió. Gianni le pasó las yemas de los dedos por la piel y notó que se estremecía–. El hotel está a rebosar. No hay habitaciones libres.

Ella respiró hondo y contuvo el aliento.

–Me parece que estamos atrapados juntos –siguió él.

–Por el momento.

–El momento es lo único que importa –él se inclinó y la besó.

Su intención era darle un beso breve y rápido. Pero en cuanto sus labios se apoderaron de los de ella, se convirtió en algo más. Se sintió inundado de luz y calor y la agarró y la estrechó contra sí hasta que ella aplastó sus pechos en su torso y él habría jurado que sentía el corazón de ella latiendo al unísono con el suyo.

Ella le echó los brazos al cuello y se aferró a él, devolviéndole el beso y jugando con su lengua. Él saboreó su aliento y notó que el deseo de ella crecía con el suyo.

Gianni aceptó todo lo que ella estaba dispuesta a darle y pidió en silencio más. Su cuerpo ardía en deseo por el de ella. Su mente era una marea de pensamientos, colores y sensaciones y sabía que, si no se apartaba en ese momento, ya no podría hacerlo.

Con ese pensamiento dominando su mente, interrumpió el beso y apoyó la frente en la de ella hasta que pudo controlar la respiración.

–En este caso –susurró ella–, creo que se puede decir mucho en favor del momento.

***

–Papá no irá a la cárcel –Gianni apretaba el móvil con una mano y miraba la noche mientras su hermano le gritaba al oído.

En las tres últimas horas se había mezclado con la multitud en la inauguración de la muestra de joyas. Había observado, escuchado, pendiente en todo momento de posibles problemas y de Jean Luc Baptiste. No había encontrado nada. Si estaba allí, se había convertido en un maestro del disfraz en el último año.

Gianni sentía la tensión que lo acompañaba en los trabajos. Y la conversación con su hermano aumentaba aún más esa tensión.

–Teresa me lo ha contado todo –repitió Paulo–. ¿Esa mujer te está chantajeando? ¿Tiene pruebas contra nuestro padre y tú te acuestas con ella?

–Yo no… –Gianni se interrumpió y respiró hondo. No estaba dispuesto a admitir que todavía no se había llevado a Marie a la cama–. A ti no te importa con quién me acuesto yo.

–Si tu amante amenaza a la familia, sí me importa.

Gianni se sonrojó.

–¿Tú crees que yo pondría en peligro la seguridad de nuestro padre? –preguntó en un susurro tenso? Soy yo el que intenta que papá y tú dejéis de robar para que evitéis la cárcel.

–¿Estás cambiando de tema?

–No, solo te recuerdo quién es el hermano mayor –replicó Gianni–. No me sermonees sobre lo que hago por nuestra familia, Paulo.

Hubo un largo momento de silencio y Gianni casi pudo ver a su hermano calmándose.

–Muy bien. Pero papá y yo llegaremos en un par de días y quiero conocer a esa mujer.

Gianni miró la playa. La luz de la luna era lo bastante brillante para distinguir la figura de una mujer que caminaba sola por la orilla. Tardó un segundo en reconocer a Marie. Se suponía que ella se iba a quedar en la suite. ¿Por qué nunca le hacía caso?

–La conocerás –dijo–. Y serás amable o me enfadaré.

–Yo siempre soy amable –protestó Paulo.

Gianni notó otra figura solitaria que paseaba por la playa. Un hombre. E iba directo hacia Marie. Ella miraba el mar y no era consciente de la presencia del hombre. Frunció el ceño y siguió mirando al hombre. Algo en él le preocupó lo suficiente para despedirse rápidamente de Paulo y cerrar el teléfono.

Saltó por la barandilla y echó a correr por la arena.

Marie odiaba estar al margen de lo que ocurría en el salón de la muestra. Tenía experiencia y podía ser de ayuda. Y odiaba más todavía estar encerrada. Sabía que se volvería loca en la suite, pensando qué podía estar ocurriendo y decidió bajar a la playa. Mientras no se acercara al salón de la muestra, no habría ningún problema.

Se detuvo al borde del agua y dejó que la marea le acariciara los dedos de los pies.

No sabía qué pensar del beso con Gianni. Él la tocaba y ella ardía. La besaba y ella estallaba en llamas. Quizá Teresa tenía razón y él sentía algo por ella. Y estaba dispuesta a admitir que ella también por él. Pero no era real. No podía serlo.

No hacía ni una semana que lo conocía. ¿Cómo podía sentir tanto por él?

—Sabía que eras tú.

Marie se volvió al oír aquella voz familiar. La luz de la luna lo iluminó y ella pensó cómo podía haberlo considerado atractivo. Su pelo rubio era demasiado fino y largo, sus ojos azules demasiado blandos y la mandíbula muy débil. Ni siquiera era tan alto como recordaba.

—Hola, Jean Luc.

Él la miró de arriba abajo.

—¿Qué haces tan lejos de casa? ¿Y por qué estás aquí con Gianni Coretti?

Ella pensaba mentir, pero él debió captarlo, pues negó con la cabeza.

—No te molestes. Os vi juntos ayer. ¿Por qué, Marie? —preguntó con su espeso acento francés—. ¿Por qué estás aquí con él?

Marie movió sutilmente los pies en la arena para adoptar una postura defensiva, por si acaso.

—¿Lo has usado para buscarme? —él sonrió—. Me siento halagado. ¿Es porque nunca nos acostamos? ¿Te arrepientes de eso? —él extendió el brazo—. Yo también. Pero podemos arreglarlo esta noche.

Antes de que ella pudiera decir nada, la agarró y tiró de ella para besarla. Marie echó atrás el brazo derecho, cerró el puño y se dispuso a golpearlo con él.

Pero él desapareció.

Marie se tambaleó hacia atrás, sorprendida y sin saber lo que pasaba. Oyó la pelea antes de verla. Puños que golpeaban un cuerpo. Alguien que caía en la arena. Un gemido de dolor y luego Gianni apareció ante ella y la estrechó contra sí.

−¿Estás bien?

−Sí −ella le echó los brazos al cuello. Podía haber lidiado sola con Jean Luc, pero que Gianni hubiera acudido en su ayuda había sido... romántico. Y sentir la fuerza de su abrazo volvía aún más valioso aquel momento.

Colocó la cara en la curva del cuello y el hombro de él y respiró hondo. No sabía cómo había llegado allí, pero se alegró de que lo hubiera hecho en cuanto la besó con ansia. Marie le devolvió el beso, sabiendo que el momento que estaban viviendo lo cambiaría todo.

Gianni nunca en su vida había estado tan furioso. Ni siquiera sabía que era capaz de sentir tanta furia y pasión. Pero la idea de que otro hombre tocara a Marie le había hecho perder el control.

La miró a los ojos un momento largo y luego la besó en la boca. En ese beso no había seducción gentil, solo había llamas lamiéndolos a los dos. Fuego envolviéndolos y ambos hundiéndose en ese infierno como si fueran astillas.

Ella subió las piernas y le abrazó las caderas con ellas. Él le agarró el trasero. Sentía la impaciencia de ella y la compartía. Solo sabía que la deseaba y que tenía que llevarla al hotel. Pero antes...

Apartó la boca y respiró hondo para tomar aire. La miró a los ojos.

–Vamos a ocuparnos de Jean Luc y luego...

Ella miró más allá de él.

–Se ha ido.

–¿Qué?

Gianni se volvió, todavía con ella en brazos y miró la arena. Pero no había nada. Jean Luc había desaparecido.

–¡Maldita sea! Se ha ido.

Ella le puso la mano en la mejilla.

–¿A quién le importa?

Gianni la miró sorprendido. Jean Luc había sido el foco de la atención de ella desde que la conocía. Pero vio el calor en sus ojos, sintió los temblores que le cruzaban el cuerpo y supo que ella sentía lo mismo que él. Lo único que importaba en aquel momento era lo que había entre ellos.

–Tienes razón –dijo. La besó con fuerza en la boca–. Vámonos.

Cuando entraron en la suite, Gianni cerró de un portazo, se volvió y ella se echó en sus brazos, tan impaciente como él. Él la abrazó y, cuando ella le rodeó la cintura con las piernas, él le deslizó las manos debajo de la blusa.

Marie suspiró y arqueó la espalda y las manos de él tocaron sus pechos a través del sujetador de encaje. Sintió erguirse los pezones bajo las manos y casi gritó de satisfacción. Tenía la sensación de haber esperado años para tocarla.

–Tienes que ser mía –susurró, mordisqueándole el cuello.

–Sí –repuso ella, sin aliento–. Oh, sí.

La dejó de pie en el suelo, le quitó la blusa de seda por la cabeza y le bajó los tirantes del sujetador por los brazos hasta que la prenda cayó al suelo. Ella empezó a desabrocharle la camisa y él la ayudó en la tarea, impaciente por sentir la piel de ella contra la suya. Cuando la ropa de ambos estuvo en el suelo, la empujó sobre el colchón y ella rio sobresaltada.

Gianni sonrió, se tumbó a su lado y empezó a acariciarla de inmediato. Ella lo besó en los labios. La legua de él inició un baile erótico con la de ella, un baile impregnado de necesidad y de deseo.

Ella le rascó la espada con las uñas y él sentía cada contacto como llamaradas pequeñas. Deslizó una mano bajo el cuerpo de ella, hasta la unión de sus muslos, y ella abrió las piernas invitándolo a explorar y a acariciar. Gianni gimió en su boca. Estaban unidos por un fino hilo de deseo que los envolvía de un modo tan apretado que no podrían haberse separado aunque hubieran querido.

Gianni bajó la cabeza y se metió primero un pezón de ella y después el otro en la boca. Lamió y succionó y tiró de cada uno de ellos hasta que Marie empezó a retorcerse debajo de él. Le tocó el pubis y frotó aquel punto sensible con el canto de la mano. Ella gemía y él sintió una necesidad absoluta de estar dentro de ella.

Volvió a tocarla, introduciendo primero un dedo y después dos en sus profundidades, y ella alzó las caderas y se movió instintivamente con las caricias de él. Gianni alzó la cabeza para mirarla y vio un punto salvaje en sus ojos. Ella movía las caderas. Necesitaba más y no tenía miedo de buscar el clímax que andaba cerca. Gianni quería eso. Quería verla estremecerse. Quería ver sus ojos vidriosos por la pasión que solo él podía darle.

Redobló sus caricias, introduciendo cada vez más los dedos y creando una fricción destinada a volverlos a ambos locos de deseo. Ella se movió con él, luchando por respirar, susurrando:

–Sí, Gianni. Sí. Por favor.

–Llega al orgasmo conmigo y déjame verte –dijo él en voz baja y espesa.

Ella abrió los ojos, lo miró y asintió. Se movió en la mano de él, una y otra y otra vez. Sus pies desnudos resbalaban en el edredón de seda debajo de ellos, pero ninguno parecía notarlo. Estaban inmersos en el momento.

–Por favor, Gianni, te necesito. Necesito…

–Lo sé, querida. Veo lo que necesitas –contestó él.

Su pulgar frotó el botón de carne del núcleo de ella y Marie gritó su nombre. Sus caderas se movían salvajemente y jadeaba en su avance hacia el clímax.

Él la observaba y sentía henchido el corazón.

Su deseo crecía y crecía con cada jadeo de ella. Sentía el cuerpo de ella tenso y convulsionando alrededor de sus dedos y, antes de que terminaran los últimos temblores, se puso en movimiento.

Marie tenía los ojos cerrados. Su cuerpo temblaba de la cabeza a los pies y su piel vibraba. Sentía tanto calor como si tuviera fiebre, pero el edredón de seda debajo de sus pies estaba fresco. Temblaba todavía por el orgasmo cuando abrió los ojos y vio a Gianni sacar un condón de la mesilla de noche y colocárselo.

–Gianni.

Él era muy grande y muy duro. La llenaba por completo y ella estaba todavía tan sensible por el orgasmo anterior que tuvo otro solo con la fricción de su cuerpo estirándose para recibirlo.

Se aferró a los hombros de él, alzó las piernas y le abrazó las caderas. Se agarró así hasta que sus temblores disminuyeron lo suficiente para que respirar resultara menos difícil. Él empujó más hondo y empezó a moverse, entrando y saliendo de sus profundidades con un ritmo cada vez más fuerte, al que ella intentaba frenéticamente corresponder. No habría creído que fuera posible sentir más de lo que ya había sentido, pero miró a Gianni a los ojos y supo que aquello era solo el comienzo.

Él la iluminaba de la cabeza a los pies. Sus caricias electrificaban el cuerpo de ella. Su mirada poderosa retenía la de ella, exigiendo que lo viera y mirara mientras los dos juntos volvían a crear algo incontrolable y maravilloso. Ella se ahogaba en sus ojos. Ardía por sus caricias y, cuando llegó al orgasmo, este fue tan abrumador, que ella solo pudo abrazarse a él y entregarse a las sensaciones que la transportaban a un mundo donde el final era solo el principio.

Su cuerpo temblaba todavía cuando sintió que él también se rendía a lo inevitable y se dejaba caer sobre ella.

–Tenemos que hablar –Marie se sentó en la cama, se apartó el pelo de los ojos y miró al hombre desnudo tumbado a su lado en todo su esplendor.

Él soltó una carcajada.

–¿Por qué las mujeres siempre tienen que hablar después del sexo?

–¿Qué pasa con Jean Luc?

Gianni suspiró y se encogió de hombros.

–Se ha ido, querida. Ni siquiera él es tan tonto como para quedarse en la isla sabiendo que conocemos su presencia aquí.

–Eso ya lo sé. Lo que quiero saber es qué vamos a hacer ahora.

–¿Sobre qué?

–Nuestra farsas. Tu familia sabe la verdad, Jean Luc se ha ido. ¿Qué hacemos ahora?

Él se apoyó en un codo, le tomó la mano y le acarició los nudillos con el pulgar.

–Lo que habíamos planeado al principio. Ya no tenemos que mentirle a mi familia, pero yo todavía tengo que vigilar la exposición de joyas para la Interpol.

–¿Y después?

–Después buscamos a Jean Luc, recuperamos tu collar y tú me das las pruebas que guardas todavía contra mi familia. No ha cambiado nada, querida –le sonrió y tiró de su mano hasta que se acercó más. Entonces la colocó debajo de él y se inclinó para prestar atención a sus pechos.

Ella suspiró y alzó la cabeza para mirar cómo le succionaba los pezones. En medio del placer, no pudo por menos de pensar: «Estás muy equivocado, Gianni. Ha cambiado todo».

Capítulo Diez

–Buen trabajo –Rico asintió para sí mientras observaba a Franklin Hicks llevar a un hombre esposado hasta una de las lanchas del muelle.

Nubes blancas recorrían el cielo azul y veleros blancos navegaban por el mar disfrutando del día.

–Nos lo ha puesto muy fácil –dijo Gianni con una mueca de desprecio. Marie estaba a su lado y cuando él le pasó un brazo por los hombros, notó que ella se tensaba ligeramente.

En los dos últimos días habían hecho el amor muchas veces y cada vez había sido más increíble que la anterior. No se había cansado de ella como de tantas mujeres antes. Al contrario, su deseo por ella había aumentado hasta convertirse en un nudo constante en la boca del estómago. Ni podía calmarlo ni podía ignorarlo. Parecía que ella sentía lo mismo. Era apasionada en el sexo, pero cuando terminaban había límites que ninguno de ellos podía o quería cruzar.

¿Cómo podía confiar en ella? ¿Y de qué serviría hacerlo? No eran una pareja. Solo estaban juntos temporalmente y, cuando llegara el momento, ambos regresarían a sus rincones opuestos del mundo y volverían a las vidas que conocían.

–¿Qué delató al ladrón? –preguntó Rico.

–Noté que no miraba las joyas, sino que estaba comprobando los ángulos de las cámaras y, cuando creía que no lo veían, sacaba fotos con el móvil –contestó Marie.

Rico frunció el ceño.

–¿Entonces fue por eso? –preguntó Rico.

–Por eso y porque llevaba un bolígrafo láser en el bolsillo de la chaqueta –contestó Gianni.

–¿Cómo lo sabes?

–Cuando Marie me habló de él, le vacié los bolsillos.

–¡Oh, por…! –exclamó Rico, irritado–. Juraste que no robarías nada.

–Robarle a un ladrón no cuenta –comentó Gianni.

Miró a su cuñado, que luchaba por controlarse, y casi sonrió cuando Rico murmuró:

–Muy bien. Explícame por qué te preocupaba un bolígrafo láser.

Gianni lo miró a los ojos.

–Es algo nuevo descubierto por los piratas informáticos. Puedes usar un bolígrafo láser para piratear un ordenador, captar las contraseñas más usadas y entrar fácilmente en el ordenador.

–No comprendo –admitió Rico.

Marie continuó la explicación.

–Si pirateaba tus cámaras de seguridad, podría entrar de noche en el salón sin ser visto. No habría una violación de seguridad porque tendría vuestras contraseñas.

Rico resopló con disgusto.

–¿Y las cajas fuertes? ¿Cómo iba a robarlas?

–Había un amplificador de seguridad en su habitación.

–¿Amplificador? –repitió Rico.

–Es una especie de estetoscopio de tecnología punta –explicó Gianni–. Auriculares conectados a un artilugio electrónico que amplifican los sonidos al colocarse en su sitio. Un ladrón de talento puede abrir cualquier caja de seguridad en muy poco tiempo con una herramienta así.

–La palabra clave es «talento» –comentó Marie.

–Sí –asintió Gianni–. El ladrón al que hemos pillado no era muy experto en su campo. Como lo demuestra que he podido vaciarle los bolsillos en una sala llena de gente y no se ha dado cuenta –movió la cabeza con disgusto–. Una lástima. Ya no quedan artistas.

Rico lo miró sorprendido, pero Marie soltó una risita y Gianni le sonrió.

–Hablando de ladrones con poco talento –preguntó Marie a Rico–. ¿Descubristeis cómo escapó Jean Luc?

–Sí. Franklin lo investigó. Las cámaras lo captaron en el jardín del hotel y Franklin enseñó su foto en el pueblo y en el muelle. Parece ser que pagó a uno de los pescadores para que lo llevara a St. Thomas. Le dijo que tenía que volver rápidamente a su casa por una emergencia.

–Y supongo que se mostró muy generoso –comentó Marie.

Rico suspiró.

–Mucho. Le dio al pescador el equivalente a varios meses de ingresos.

Gianni miró a Marie y vio la frustración en su rostro. El francés había encontrado el modo de esquivarlos. Pero, en cierto sentido, Gianni se alegraba. Así podría estar más tiempo con ella. No estaba preparado para terminar todavía aquella… relación. Ahora lo de temporal le resultaba de pronto demasiado… temporal.

–O sea que no tenemos ni idea de adónde fue después de St. Thomas –dijo Marie, sombría.

–No –confirmó Rico–. Después de que el pescador lo dejara en los muelles, pudo ir a cualquier sitio. Yo sospecho que directo al aeropuerto. Pero una vez allí, quién sabe adónde se dirigió.

Marie miró a Gianni.

–¿Tú crees que fue a casa? ¿A Mónaco?

–No lo sé –admitió él–. Probablemente, pero no lo sabremos seguro hasta que vayamos allí a buscarlo.

Ella asintió y se mordió el labio inferior.

–¿Pero os quedáis hasta que termine la exposición de joyas? –preguntó Rico.

–Sí –repuso Gianni–. Le prometí a la Interpol que estaría hasta el final y no quiero fallarles a mis nuevos jefes.

Rico sonrió.

–Me alegra oírlo. Siempre compensa tener más ojos. ¿Nos vemos allí esta tarde?

–Sí –Gianni miró a Marie–. Allí estaremos.

–Paulo y tu padre llegan esta noche para el bautizo de mañana.

–Cierto –Gianni no podía apartar la vista de los ojos verdes que miraba los suyos con gran concentración.

–De acuerdo –Rico rio para sí–. Me voy al hotel. Os espero allí.

Se alejó un par de pasos, se detuvo y se volvió.

–¿Sabéis que formáis un buen equipo? –preguntó.

Al día siguiente era el bautizo y a Marie le habría gustado estar en cualquier parte menos allí. Desde el momento en el que Paulo Coretti y su padre habían llegado a la isla, el primero no se había molestado en ocultar que Marie no le caía bien.

Habían cenado todos juntos la noche anterior en la suite de Rico y Teresa y ella había sorprendido más de una mirada recelosa y curiosa de Paulo, pero él no le había dicho gran cosa después del gruñido de saludo. Hasta ese día.

Estaban de nuevo todos reunidos en la sala de estar de Rico y Teresa antes de partir para la pequeña iglesia de la isla. Y la reticencia de Paulo de la noche anterior se había evaporado.

Marie se encogió bajo su mirada dura y luego se recordó que ella no era el malo allí. Bueno, desde el punto de vista de él, tal vez sí. Tenía pruebas contra su padre y había chantajeado a su hermano. Miró hacia donde estaba sentado Gianni, tranquilo y aparentemente indiferente a la charla de su hermano.

Marie veía el parecido entre los dos hermanos, pero para ella, Gianni era espectacular. Era más alto, más delgado, y su temperamento era mucho menos volátil.

Marie se movió incómoda en el sofá, donde se sentía como si estuviera en una vitrina. Todos los ojos parecían vueltos hacia ella, y aunque no podía culparlos, no disfrutaba con esa atención.

Teresa estaba sentada en el sofá al lado de su padre, Nick, que tenía a su primer nieto en los brazos. Rico estaba de pie al lado de la barra del bar y parecía tener ganas de meterle un calcetín en la boca a Paulo. Y Gianni se encontraba en el sofá al lado de Marie con rostro inexpresivo.

Entre ellos ya no había nada fingido, solo pasión. Marie había renunciado a intentar entender lo que le ocurría. Solo le quedaba admitir lo que sentía cuando estaba con él y disfrutarlo mientras pudiera.

Pero no era solo la pasión lo que disfrutaba. También simplemente estar con él. Le gustaba trabajar con él, dormir con él, que la abrazara en medio de la noche y le hiciera el amor despacio en la penumbra. Sabía que no había nada resuelto entre ellos, pero había conseguido no preocuparse por el futuro y disfrutar del momento.

–Tiene pruebas contra nuestro padre –decía Paulo en ese momento–. Y sin embargo, está ahí sentada como si fuera una de nosotros –alzó ambas manos en el aire y se acercó a la barra, donde Rico tenía una cerveza fría esperándolo.

Aquellas palabras fueron como una bofetada. Marie sabía que su sitio no estaba allí. Desde la muerte de su padre, no había encontrado su sitio. Y no podía por menos que envidiar lo que tenían los Coretti.

–Paulo –dijo Teresa, intentando calmar las aguas–. Marie no va a delatar a papá.

La aludida la miró agradecida. Al menos había hecho una amiga esa semana.

Paulo rio con dureza.

–¿Tienes su palabra? ¿La palabra de una poli?

–Ya no soy policía –repuso Marie, entrando por fin a defenderse.

Miró con rabia a Gianni por seguir callado. No necesitaba que la rescatara, pero habría sido agradable oírle decir algo en su favor.

–Ni siquiera tengo ya un empleo, gracias a Jean Luc Baptiste –terminó.

Paulo tomó un trago largo de cerveza.

–Por favor. Eres una poli por dentro, que es donde más importa. Recorriste el mundo buscando pruebas contra nosotros y después chantajeaste a Gianni para que te ayudara a buscar a Jean Luc y recuperar un collar que habían robado delante de tus narices.

Marie se levantó y se enfrentó a él de pie.

–Lo dices como si fuera un insulto, pero no lo es. Mi padre era policía y su padre también. Tú estás orgulloso de tu familia, ¿no?

Él entornó los ojos, pero asintió.

–Pues yo también –replicó ella–. Entiendo que estés enfadado por mi presencia aquí, pero atacarme no es el mejor modo de afrontar eso.

Paulo resopló, pero ella vio un brillo de respeto en sus ojos. Pensó que probablemente eso sería lo máximo que conseguiría de él.

Un silencio atónito se prolongó durante unos segundos. Luego Gianni empezó a aplaudir. Los demás se volvieron a mirarlo. Él se levantó, tiró de Marie, la sentó a su lado y la mantuvo allí cuando ella hizo ademán de apartarse.

–Es suficiente, Paulo. Marie está conmigo y tú no dirás ni una palabra más sobre esto.

Su hermano abrió la boca como para discutir, pero Gianni lo interrumpió.

–Va en serio. Lo que hay entre Marie y yo seguirá siendo algo entre los dos.

–¿Y las pruebas que tiene?

Marie se movió incómoda. Gianni aumentó la presión de su brazo en torno a ella.

–Eso es asunto mío.

–Para ti es fácil decirlo cuando será papá el que vaya a la cárcel.

Marie miró al hombre mayor que mecía suavemente a su nieto dormido. Nick habló sin apartar la vista del bebé.

–No hay que tenerle miedo a la prisión, Paulo. Y si esta encantadora señorita cree que es lo que debe hacer, entregará las fotos a la policía y en paz.

–Papá… –Paulo se detuvo en cuanto su padre lo miró.

–Basta. Como dice Gianni, pasará lo que tenga que pasar. Hoy es el bautizo de mi nieto y no permitiré que nada lo estropee. ¿Entendido?

Los demás murmuraron su asentimiento. Gianni estrechó a Marie con fuerza y ella se apoyó en él, agradecida. Lo miró y él sonrió. Entonces se dio cuenta de que él había esperado a que se defendiera sola. A que se enfrentara a Paulo.

Esa era una cosa más que le gustaba de él. Gianni acudiría en su rescate si lo necesitaba, pero también tenía confianza en ella y disfrutaba viéndola cuidar de sí misma.

Estaba enamorada de él.

Reformado o no, era un ladrón y estaba orgulloso de ello. Procedía de una familia que violaba las leyes de todos los países que visitaba. Era todo lo que ella debería haber evitado… y todo lo que deseaba.

La pequeña iglesia estaba situada al final del pueblo.

Marie seguía sintiéndose como una extraña; Gianni parecía notarlo y se esforzaba por tomarle la mano, pasarle un brazo por los hombros y colocarla en el centro de todo cuando la mente y el corazón de ella le decían que se apartara.

Los Coretti se agrupaban en torno al niño, que era el protagonista del espectáculo. Sean King, pri-

139

mo de Rico, y su esposa Melinda eran los padrinos, y Nick Coretti entretuvo a sus dos hijos durante la ceremonia. Fue todo muy sencillo, de un modo que le conmovió el corazón a Marie y le puso un nudo en la garganta.

Cuando vio lo unida que estaba la familia y el compromiso que tenían unos con otros, comprendió por fin que no podría seguir adelante con el plan que la había llevado hasta allí. Miró a Nick, un hombre mayor y encantador que sonreía y susurraba a los niños pequeños. Era un ladrón, sí, pero también era mucho más. No podía enviar a Nick a la cárcel. Jamás podría perdonarse si lo apartaba de la familia a la que tan claramente adoraba.

Gianni le apretó la mano y Marie comprendió que había terminado de chantajearlo. Respiró hondo y se prometió que, en cuanto volvieran al hotel, le daría las pruebas que tenía contra su padre y le diría que no tenía nada que temer de ella.

Gianni se inclinó y le susurró:

—Teresa ha planeado un almuerzo para todos, pero después de eso, creo que deberíamos retirarnos a echar la siesta.

Marie lo miró y le sonrió. Cedió al impulso de tocarle la mejilla. Sabía que aquello no podía acabar bien, pero no podía negarse otra oportunidad de tener a Gianni. Una noche más con él.

***

Sus cuerpos seguían abrazados después de la tormenta. Marie temblaba con la fuerza del orgasmo, que todavía le nublaba la mente.

Deslizó los dedos por el pelo negro de él y tocó su suavidad, en un esfuerzo por crear otro recuerdo sensorial que pudiera llevar siempre consigo. Él la miró a los ojos un buen rato. Después se colocó de lado apoyado en un codo y preguntó:

–¿Te importa decirme lo que estás pensando?

Ella se mordió el labio inferior. Cuando él extendió la mano, ella salió de la cama, llevándose la sabana consigo. Se la puso delante como un débil escudo y se obligó a decir lo que no quería decir.

–Me marcho, Gianni.

Él frunció el ceño, confuso.

–Sí. Nos vamos los dos en cuanto termine la muestra.

–No –ella negó con la cabeza–. Yo me marcho ahora.

–¿Ahora? –él se sentó en la cama y la miró de hito en hito–. ¿Y por qué vas a hacer eso?

–Porque es lo único que puedo hacer –dijo ella, aunque no esperaba que lo comprendiera–. Intento decir que esto se acabó. Jean Luc se ha ido y ahora que sabe que estamos juntos, estará en guardia y jamás recuperaremos el Contessa.

Él salió de la cama sin molestarse en taparse.

–Te dije que recuperaría el collar y lo haré.

–Sé que lo intentarías.

–¿Intentar? –repitió él–. Soy Gianni Coretti. Si te digo que haré algo, lo haré.

–Te estoy diciendo que no quiero que lo hagas. Creo que es mejor que los dos volvamos a nuestras vidas y... olvidemos que nos hemos conocido.

Gianni se quedó sin habla. No tenía nada con lo que combatir la tristeza que expresaba la cara de ella. Sus ojos se lo dijeron todo. Ella se había despedido ya, con su cuerpo, mientras hacían el amor, y volvía ya a su vida, lejos de él.

Pero él no estaba preparado.No quería verla marchar. Todavía no.

–Ven conmigo a Londres –dijo–. Nos quedaremos en mi casa hasta que se nos ocurra un plan para recuperar el collar.

Ella negó con la cabeza y eso lo irritó. ¿Cómo se atrevía a rendirse y alejarse? Se acercó un paso más y notó que ella retrocedía.

–Entonces iremos a Mónaco juntos –dijo–. Como dijo Rico, hacemos un buen equipo. Juntos le quitaremos a Jean Luc las joyas que ha robado. Juntos, querida.

Una sonrisa triste asomó brevemente a los labios de ella.

–Londres. Mónaco. Tú. Todo suena maravilloso.

–Pues quédate –pidió él.

–No, no puedo.

–Dime por qué –él le puso ambas manos en los hombros y, cuando ella intentó alejarse, la atrajo hacia sí–. Dímelo.

Ella echó atrás la cabeza para mirarlo a los ojos.

–Porque si te pillaran intentando robar el collar que yo te pedí que consiguieras y te enviaran a prisión, jamás me lo perdonaría.

Él soltó una carcajada.

–¿Pillarme? A los Coretti nunca nos pillan.

–Siempre hay una primera vez .

–Hay algo más que no dices –murmuró él, mirándola a los ojos.

–Sí –admitió ella, soltándose–. Gianni, tú eres un ladrón. Sí, sí –dijo con rapidez–, exladrón. Pero sigues siendo un ladrón en tu corazón. Igual que yo siempre seré policía en el mío.

–¿Qué significa eso?

Ella respiró profundamente.

–En la última semana han cambiado muchas cosas para mí. El mundo que conocía ahora me resulta extraño después de haberos conocido a tu familia, a ti, este lugar… –movió la cabeza y suspiró–. Pero esto no es real. No es mi mundo. Me educaron con el respeto a la ley. Yo soy así. Llevo eso en mi ADN. Si pierdo eso, ¿quién soy?

–¿Por qué vas a perder lo que eres? –preguntó él con voz tensa.

Ella miró el anillo que llevaba en el dedo, se lo quitó despacio y lo sostuvo en la palma.

–Este anillo lo dice todo. Pertenece a una mujer a la que no conozco. Se lo robaron, lo conservaron como trofeo y me lo dieron a mí para fingir una vida que no existía –miró con tristeza a Gianni, le tomó la mano y le puso el anillo en ella–. Ha sido todo un cuento de hadas. «Vivir el momento», como dices tú.

Él sintió el peso del anillo en la mano y tuvo ganas de aplastarlo.

–El momento no tiene nada de malo –dijo.

–No –ella empezó a alejarse y él no intentó detenerla–. Peor antes o después, el momento se vuelve pasado y solo nos queda su recuerdo.

Gianni apretó los dientes y miró el anillo. Por primera vez desde la noche en que lo había robado, la joya no contenía ninguna belleza. Podría haber sido un trozo de cristal. Frío. Sin vida.

–Gianni…

Él la miró.

–Te daré las fotos de tu padre. No quiero que te preocupes. Nick no irá a la cárcel por causa mía.

Entró en el baño y él se quedó solo en el crepúsculo del dormitorio. Le avergonzaba admitir que, mientras ella se despedía, él no había pensado en su padre ni por un momento.

Capítulo Once

Teresa abrazó a Marie a la mañana siguiente.

–No puedo creer que te marches.

–Tengo que irme mientras todavía soy capaz de hacerlo –repuso Marie.

La conversación con Gianni de la noche anterior le rondaba todavía la mente. Y también el recuerdo de él vistiéndose en silencio y saliendo de la suite. No había vuelto en toda la noche y Marie había estado sola durante horas sin nada que hacer excepto recordar todos los momentos que había pasado con él.

¿Cómo había podido sentir tanto en poco más de una semana? Y sin embargo… alejarse de Gianni era lo más difícil que había tenido que hacer jamás. Despedirse de Teresa tampoco resultaba fácil.

–Pero tú amas a Gianni –dijo esta con suavidad.

–Sí –Marie movió la cabeza–. Al menos, creo que sí, pero hace poco más de una semana que lo conozco. El amor no se produce tan deprisa.

Teresa soltó una risita.

–¿Cuánto tarda? ¿Una semana? ¿Un año? ¿Diez? ¿O quizá solo un momento de mirarse a los ojos? No, Marie. No hay una regla establecida para el

145

amor. Ocurre o no. Y cuando lo encuentras, lo sabes.

Cierto. Todo aquello era verdad. Ella sabía que amaba a Gianni. Había intentado convencerse de que no era así porque alejarse de él era ya lo más difícil que había hecho en su vida y si admitía que estaba renunciando al amor, sería más difícil todavía.

–No importa –susurró.

–Es lo único que importa –la contradijo Teresa–. Y Gianni también te ama.

Marie la miró a los ojos.

–Eso no lo sabes.

–Pues claro que lo sé. Es muy fácil leer en mi hermano cuando llevas una vida entera haciéndolo. Lo he visto contigo. Le he oído reír más en una semana que en años. Lo he visto más ilusionado con el mundo que lo rodea. Y eso es gracias a ti.

Si Marie creyera eso, quizá pudiera encontrar un modo de lograr que aquello funcionara. Pero no lo creía. Él le había pedido que se quedara, que fuera a Londres y a Mónaco con él. Pero aquella invitación sin amor detrás estaba… vacía. Gianni no había dicho nada de amor. Claro que ella tampoco. Habían tenido una aventura que habían vivido con abandono sensual, dejándose llevar por una fantasía. Y la fantasía había terminado.

–No me ama –dijo con firmeza, queriendo convencerse para hacer la marcha un poco más fácil–. Y no importa, Teresa. De verdad. Estaré bien. Solo tengo… que irme.

–Mi hermano es idiota –dijo Teresa con suavidad.

Marie sonrió y volvió a abrazarla.

–Cuando se despierte Matteo, dale un beso de mi parte.

–Por supuesto. ¿Y tú volverás a visitarme?

–Lo haré –mintió Marie.

Jamás podría volver a Tesoro. Los recuerdos del tiempo pasado allí con Gianni se lo impedirían.

–Y si tú vas alguna vez por Nueva York, llámame, ¿de acuerdo?

–Lo haré –Teresa suspiró.

Marie se dirigió a los muelles, donde la esperaba una lancha para llevarla a St. Thomas a tomar allí el avión de vuelta a la cruda realidad.

–Deberías estar contento –Paulo estaba claramente sorprendido por la falta de entusiasmo de Gianni después de haber podido destruir las fotos de su padre saliendo de la propiedad de los Van Court.

La familia estaba a salvo. La mujer que había iniciado todo aquello iba camino de los Estados Unidos. Y sin embargo, Gianni no encontraba ningún alivio.

En vez de eso, tenía un nudo de desolación en el vientre. Y su cerebro tampoco le daba paz. Reproducía la escena con Marie una y otra vez, como si no hubiera sido suficiente con vivirla una vez.

Todavía no podía creer que ella se hubiera ido.

Había estado seguro de que podría lograr que se quedara, pero había fracasado en la tarea más importante que se había impuesto.

–Déjalo en paz, Paulo –terció Teresa.

Su hermano soltó una carcajada.

–¿Por qué os portáis como si estuvierais en un funeral? Ella se ha ido. El peligro también. Deberíamos estar celebrándolo.

–Paulo –dijo su padre con suavidad, sin apartar la vista de su hijo mayor–. Hay muchas cosas que tú no sabes.

–¿Por ejemplo?

Nick Coretti suspiró.

–Por ejemplo, no tienes ni idea de lo que es amar de verdad.

Gianni alzó la cabeza y miró a su padre.

–¿Amor? ¿Quién ha dicho nada de amor?

Nick frunció el ceño y chasqueó la lengua.

–Tú deberías haberlo hecho.

–Gracias, papá –intervino Teresa–. Es lo mismo que le he dicho yo hace una hora.

–Y yo te he dicho que te ocuparas de tus asuntos –repuso Gianni con suavidad.

Rico rio desde el extremo del sofá.

–¿Crees que hará eso? ¿No conoces a tu hermana? –tiró de ella y la sentó a su lado.

–Mi familia es asunto mío –replicó Teresa. Apuntó a Gianni con el dedo índice–. No debiste dejarla marchar.

Gianni apretó los dientes para no gritar. Miró a su hermana y vio la luz fiera que brillaba en sus ojos. Teresa era una Coretti de los pies a la cabeza. Y si pensaba que tenía razón, no pararía.

–¿Y qué tenía que hacer yo? –replicó. Terminó su whisky y dejó el vaso vacío en la mesa–. Ella quería marcharse.

–Ella no quería irse en absoluto –repuso Teresa, exasperada–. ¿No podías mirarla a los ojos y ver que te amaba?

A Gianni le dio un vuelco el corazón, pero no podía creerlo.

–Si me quisiera, se habría quedado.

–¿Le dijiste tú lo que sentías? –preguntó Nick.

–No sé lo que siento, papá –confesó Gianni–. Le pedí que se quedara y me dijo que no.

–No le diste ninguna razón para quedarse –comentó su padre.

Gianni le había ofrecido su casa. Viajes. Aventura. ¿Qué más podía haber dicho?

–Estoy muy decepcionado –comentó Nick con un suspiro.

Gianni lo miró.

–¿Por qué? Tengo las fotos que tenía Marie. Estás a salvo. La familia está a salvo.

–Basta –Nick agitó una mano en el aire–. Esa mujer no me habría delatado y tú lo sabes.

–Era policía –intervino Paulo–. Lo habría hecho, papá.

–No –Nick negó con la cabeza–. Ella no haría tanto daño a Gianni.

–Por fin –murmuró Teresa–. Un Coretti con cerebro.

Gianni miró a su padre.

–Esto no es cuestión de amor, papá. Es cuestión de elecciones y ella ha hecho la suya. Ha elegido regresar a Nueva York. No podía separarme de la vida que he llevado y por eso se fue.

Nick se levantó y se acercó a su hijo mayor.

–Eres muy tonto. No quieres ver la verdad.

Gianni soltó una risita.

–Veo toda la verdad. Ella eligió la vida rígida del bien y del mal, del negro y el blanco. No fue capaz de ver que no todas las cosas se pueden definir tan fácilmente.

Marie era testadura y desafiante y la echaba mucho de menos. Su ausencia lo desgarraba por dentro. Sabía que, si nada cambiaba, pronto le quedaría solo un agujero vacío donde antes estaba su corazón.

–¿Adónde he llegado? –susurró.

Su padre, que estaba a su lado, lo oyó. Le puso una mano en el hombro.

–Has llegado a un lugar al que yo he rezado para que llegaras. Has encontrado una mujer, como hice yo. Tu madre significaba más para mí que mi propia vida. Sin ella no era nada. Con ella lo tenía todo.

Gianni movió la cabeza.

–Pero mamá te quería. Eligió quedarse contigo.

–Al principio no –Nick guiñó un ojo–. Hubo que convencerla –musitó con una sonrisa de ternura–. Y si no recuerdo mal, persuadirla fue muy dulce.

–Persuasión –Gianni miró hacia el océano. Pero en lugar de ver cielo y mar, vio unos ojos grandes, una mata de pelo rojizo y una boca sensual curvada en una sonrisa de amante.

Entornó los ojos, apretó la mandíbula y se dijo que nunca en su vida había perdido nada que le importara de verdad y no iba a empezar en aquel momento.

Marie golpeó el aparato del aire acondicionado y lanzó una maldición cuando este dejó de funcionar del todo.

–Genial –murmuró–. Sencillamente genial.

Cruzó la sala de estar y aumentó la potencia del ventilador de pie, al menos movía el aire. Por las ventanas abiertas entraban los ruidos de la ciudad, una mezcla de tráfico, cláxones y gente gritando. El verano en Nueva York estaba muy alejado de las brisas agradables de Tesoro.

Se sentó a la mesa de la cocina y tomó un sorbo de té frío. Hacía dos semanas que había vuelto a Nueva York y ya era hora de que dejara de pensar en Tesoro. Ya era suficiente con que soñara todas las noches con Gianni y las maravillosas sensaciones que había descubierto en sus brazos.

Intentó concentrarse en los anuncios de trabajo que tenía delante. Necesitaba un empleo, pero no quería uno normal. Quería algo que le ofreciera aventura, emoción, todo eso a lo que había renunciado para volver a casa.

Cuando sonó el timbre, se levantó de un salto, agradeciendo la distracción. Cruzó la sala, abrió la puerta y se quedó parada con la boca abierta, mirando al hombre que protagonizaba todas las noches sus sueños.

–Gianni –susurró.

Estaba guapísimo, con un traje gris y corbata azul. Ella llevaba una camiseta blanca de tirantes, pantalones cortos rojos e iba descalza.

–Gracias –dijo él, al ver que ella no decía nada más–. Voy a entrar.

–¿Qué haces aquí?

–Tenemos asuntos pendientes.

Miró los anuncios de trabajo que ella había estado viendo, movió la cabeza y volvió a mirarla a ella.

–No necesitas un empleo nuevo. Puedes recuperar el viejo si quieres.

Se acercó a Marie y sacó una bolsa de terciopelo del bolsillo interior de su chaqueta. La abrió y volcó el contenido en la mesita de café.

El Contessa brilló a la luz del sol. Cada diamante parpadeaba atrapando el sol y lanzando arco iris por toda la habitación.

–¡Oh, Dios mío! ¿Qué has hecho?

Él se encogió de hombros.

–Fui a Mónaco y le quité el collar a Jean Luc. Ni siquiera tenía una caja fuerte, estaba guardado en un cajón de su dormitorio. Lastimoso. Y yo quería que tuvieras el collar para salvar tu reputación.

Su reputación le importaba. Durante años solo había tenido eso. Pero Gianni le importaba más.

–No debiste hacerlo. Podrían haberte pillado. Podrías haber acabado en la cárcel.

–A mí solo me atrapan cuando quiero que me atrapen –dijo él, mirándola a los ojos.

–¿Qué quieres decir con eso?

–Te lo diré cuando hayas contestado a una pregunta –la miró mientras se aflojaba la corbata y se abría el cuello de la camisa–. Esto es un infierno.

–El aire acondicionado se ha estropeado.

Él se quitó la chaqueta y la arrojó sobre una silla.

–No importa. La pregunta es: «¿Quieres tu antiguo trabajo en el Wainwright? Supongo que te lo darán cuando devuelvas el collar.

Marie no estaba tan segura. El trabajo se lo habrían dado ya a otra persona. Pero aquello no era necesariamente algo malo.

–No. Ya no quiero ese trabajo. Es maravilloso poder devolverle el collar a Abigail y gracias por eso, aunque no deberías haberlo hecho.

Él enarcó las cejas.

–De nada.

Marie frunció el ceño.

–Pero viajar por Europa me ha hecho cambiar. Quiero… aventura en mi vida. Así que no, no volveré a mi antiguo trabajo.

–Me alegra saberlo –él se desabrochó los gemelos y se remangó–. Hace mucho calor.

–Bienvenido al verano en la ciudad –Marie se cruzó de brazos y lo miró–. Ya he contestado a tu pregunta, ahora contesta tú a la mía: ¿qué querías decir con lo de que solo te atrapan cuando tú quieres?

–Quiero decir –él le agarró los brazos y la atrajo hacia sí–, que tú eres la única que me ha atrapado. Y yo quería que lo hicieras.

–¿Querías? –Marie sintió el corazón henchido de emoción y unas lágrimas se deslizaron por sus mejillas.

Gianni le secó las lágrimas con los pulgares y sonrió.

–No llores, querida. Me destroza ver llorar a una mujer fuerte.

Ella se mordió el labio inferior y luchó por controlarse.

–¿Qué es lo que intentas decir? –preguntó.

–Intento decirte que tu aventura está esperándote, si quieres. Que podemos tenerla juntos. Te he echado de menos.

Le dio un beso fuerte y rápido en la boca.

–Quiero que te cases conmigo. Deja que Teresa nos prepare una boda en Tesoro. Vente a Londres conmigo y ayúdame a hacer algo con esos horribles muebles.

Marie soltó una risita nerviosa. No podía creer que estuviera ocurriendo aquello. ¿Era otro sueño?

–Y si quieres ser policía, ahora tengo amigos en la Interpol. Podemos trabajar juntos.

Marie temblaba de la cabeza a los pies. Se sentía feliz y confusa al mismo tiempo. Él le ofrecía el mundo y la oportunidad de estar a su lado. Pero todavía no le había dicho las palabras que más necesitaba oír.

–Sigues sin contestar –dijo él–. Vamos a ver si esto te convence de que me hables. Te quiero, Marie O´Hara, hija y nieta de policías.

Ella soltó una risita.

–Te quiero tanto que he devuelto tu anillo de compromiso temporal a la mujer a la que se lo robé.

–¿En serio? –ella sonrió. Él había renunciado al trofeo que había guardado durante años. Y lo había hecho por ella–. ¡Oh, Gianni!

–No me mires como si fuera un héroe. No lo entregué personalmente. Lo envié por correo certificado.

–No puedo creer que hicieras eso –ella seguía sonriendo.

–Paulo tampoco. Pero para ti era importante y, en consecuencia, para mí también.

–Gianni…

–Todavía no he terminado. Te he traído esto –esa vez sacó una cajita roja del bolsillo–. He comprado este anillo especialmente para ti. Y lo he pagado. Fue una experiencia extraña.

Ella se echó a reír.

–Cuando vi este anillo en el escaparate de una joyería de Mayfair, supe que estaba hecho para ti –Gianni abrió la cajita.

Marie contuvo el aliento. Miró la piedra y después los hermosos ojos de Gianni, que brillaban de amor y emoción.

Gianni le puso el anillo en el dedo.

–Cásate conmigo. Sé mi amante, mi amiga. Ven a casa conmigo a formar una familia. Sin ti no soy nada.

–Gianni, te he echado mucho de menos –se puso de puntillas para besarlo–. Yo también te quiero. Creo que desde la primera noche en tu casa.

Él sonrió.

–En nuestro primer aniversario, tienes que volver a tumbarte en el suelo con esa minifalda. Estuve perdido desde el momento en que vi tus hermosas piernas saliendo de debajo de mi cama.

Marie rio y le echó los brazos al cuello.

–Nada me gustaría más que llevarte a la cama, amor mío. Pero no en esta sauna. ¿Vamos a mi hotel?

–¿Dónde te hospedas?

–En el Waldorf.

Ella lo miró.

–Sé que ese hotel tiene un buen sistema de seguridad.

Gianni sonrió.

–Te lo repito una vez más. Soy un exladrón.

Marie miró al hombre que amaba y sonrió.

–La policía y el ladrón. Dos caras de una misma moneda.

–Es casi poético –asintió él. Volvió a besarla–. Además, puede que el ladrón sea yo, pero tú, querida, me has robado el corazón.

Bianca™

Ella iba a rendirse al dulce sabor de la tentación

Gabriel Cabrera podía conseguir lo que quisiera solo con arquear una ceja.

Al menos, hasta que conoció a Alice Morgan, su nueva secretaria, y se dio cuenta de tres cosas:

1) Estaba celoso... por primera vez.

2) Él era quien la perseguía... también por primera vez.

3) Ella era inmune a sus encantos... ¡eso sí que era la primera vez!

Cada una de sus palabras era una promesa de placer y cada vez que la tocaba lo hacía seductoramente. De una u otra forma, conseguiría que la dulce y virginal Alice se rindiera a él.

El sabor de la tentación

Cathy Williams

Nº 2397

¡YA EN TU PUNTO DE VENTA!

VICTORIA DAHL *Sígueme*

La pura atracción animal… era algo que desdeñaba la directiva Jane Morgan, siempre tan correcta y recatada. Así pues, ¿por qué se sentía tan atraída por William Chase, que tenía los bíceps llenos de tatuajes y llevaba botas con refuerzo de acero en la puntera? ¡Aquel hombre se ganaba la vida haciendo saltar cosas por los aires!

Jane se concedió a sí misma una sola noche, explosiva y llena de fantasía, con Chase. Al día siguiente, volvió a ser la aburrida Jane, que solo se relacionaba con hombres convencionales.

Sin embargo, cuando su querido hermano se convirtió en sospechoso de un asesinato, fue Chase quien acudió en su ayuda. Y Jane descubrió que un hombre con experiencia en la vida sabía una o dos cosas sobre cómo averiguar la verdad…

N° 85